ほのかなひかり

森　浩美

角川文庫　17076

たとえそれが
どんなに小さくて頼りない光であっても
歩む先に見えるのなら
人は生きていけるのです

目次

聖夜のメール

「うちに戻ったら、ちゃんと電話ちょうだいね」

「ああ、うん」

「塾を出るときも」

「うん、もう、分かったって。でも連絡なら、メールでいいじゃん。面倒くさいな」

十歳の息子、隼人《はやと》は不満そうな顔をした。

息子にしてみれば、ゲーム機のキー操作に慣れているせいで、メールを送る方が手間がかからないのだろう。

「メールでもいいけど、声を聞けた方が安心できるじゃない」

「じゃあ、そうするよ」

くるりと背中を向け、息子はドアノブを握った。

「あ、ちょっと待って」と呼び止めて、私は黒いランドセルを背負った息子を背後から抱きしめようとした。

「よせよな」

息子は私の腕を振りほどいて逃げようとしたが、構わずに抱きしめた。

この年頃の男の子なら当然なのだろう。それがいくら母親の愛情表現だったとしても、恥ずかしがるのは分かる。ほんの一年前までは、私が抱きしめると息子もぎゅっと抱きしめ返してくれたのに……。

「ママ、背中重いよ。もう行っていい？」

「ううん、あとちょっと」

息子が生きている証《あかし》の鼓動や温《ぬく》もりをしっかり感じたいのだ。

「はい、気をつけていってらっしゃい」と、息子の両肩を手のひらでポンと叩《たた》いて解放した。

「じゃあね」息子は振り向きもせずに玄関を出た。

私はドアを開けたままにして、息子がエレベータに乗り込むのを見届ける。そして、すぐに通路側に移動すると手摺《てすり》に摑《つか》まり、マンションのエントランスを見下ろしながら、そこから出てくる息子を待つ。

街路樹の銀杏《いちょう》の葉は鮮やかな黄色になり、吹く風はひんやりと冷たい。

「隼人、いってらっしゃい」息子が走ってゆく後ろ姿に手を振った。

これが息子を学校へ送り出す朝の〝儀式〟なのだ。傍目《はため》には、随分と過保護な、あるいは子離れできない母親に映るのだろう。でも、これでも少しはマシになった方だ。一時、息子と一緒に登校し、下校の時間には迎えに行った。一ヶ月、そんなことが続いた朝「ひとりで行けるから……」と息子は拒んだ。

私は無造作に息子を送り出すことが怖かったのだ。大切な人はなんの予兆もなく逝ってしまうことを知っているから……。


一昨年《おととし》の夏。

息子の通う小学校が間もなく一学期の終業式を迎えようとしていた日だった。梅雨明け宣言はされていなかったが、梅雨の中休みというのだろう、よく晴れて少し蒸し暑い朝だった。

「いやぁ、いけねえ、今朝は三十分早い会議があったんだっけ」夫はネクタイを結びながらダイニングに現れた。

「間に合うかな」

息子の隣の椅子に座って、慌ただしくトーストと珈琲《コーヒー》を口に運びながら、夫はテレビ画面の隅に表示される時刻に目をやった。

「車、出そうか?」

「いいよ。今日は晴れてるし」

雨の日には私が車を運転して駅まで送る約束だった。

「また今度頼むよ。自転車飛ばせばなんとかなるし。まぁ、大丈夫さ」

「やっぱり、ここは遠かったわね」

私がくすっと笑うと「おいおい、君がそれを言うなよ」と、夫は笑い返した。

このマンションは私が気に入って購入した。中央線と西武新宿線の丁度中間にあり、最寄りの駅まで徒歩だと十五分はかかる。夫はもっと駅近にあった久我山《くがやま》の物件を考えていたようだが、私に譲ってくれた。

確かに、ここは駅から随分と離れている。でもその分、見て回ったどの物件より価格が安かった。お陰で、ローンにも少し余裕が出て小さな車も買えた。ただ、私だって安さだけに惹《ひ》かれた訳ではない。生活スタイルに合わせて間取りを変更できるフリープランがあったり、床暖房などの設備も充実していたし、三階の南東角部屋で、ワイドスパンの窓からは陽が差し込んで室内が明るい。しかも小学校も近いし、桜の名所、善福寺《ぜんぷくじ》公園が側にある。生活環境はとてもよい。

珈琲を飲み干すと、夫は席を立ってバッグを抱えた。

「じゃあ、行ってくる」

「あ、今晩、ご飯いる?」

夫は残業が多くて、平日はなかなか三人揃って夕食を摂《と》ることができなかった。

「ああ、今日は早く帰れる。久し振りに、隼人と夕ご飯だな」と、夫は息子の頭を撫《な》でた。

息子は「やったー」と応《こた》えた。

「じゃあ、何が食べたい？」

「ハンバーグ！」息子がすかさず手を挙げた。

「パパに訊《き》いてるの」

「ハンバーグか、それもいいけど。じゃあ、思いついたらメールする」

いつもなら夫を玄関まで見送るところだが、椅子から立ち上がった拍子にテーブルの脚に膝《ひざ》をぶつけてしまった。その揺れでバターナイフが落ち、床にバターがべったりと付いた。

顔を上げると、夫は手のひらを私に向けて「いいよ。勝手に出るから」とリビングを出た。私は、そのまま「いってらっしゃい」と夫の背中に声を掛けた。

バターナイフを拾いながら「やっちゃった」と苦笑いすると、息子に「ママ、おっちょこちょいだよなあ」と笑われた。

夫が部屋を出てから五分くらい経っただろうか、携帯電話がメールの受信を知らせた。

〝隼人がイヤじゃなければ、生姜《しょうが》焼きがいいな〟……そんな短い文面だった。

「パパね、今晩のおかず、生姜焼きがいいんだって」

そう息子に伝えると「ええっ、僕はハンバーグの方がいいなあ」と、がっかりした様子だった。

それから数分後、窓の外からけたたましく響くサイレンの音が聞こえてきた。

「あれー。ねえ、隼人、火事かな？　それとも事故かな？」

ふたりで東側のベランダに出てみたが、煙はどこにも見えなかった。

「事故ね、きっと。隼人も気をつけなさい」

「うん、分かった」

「さあ、急ぎなさい。遅刻しちゃうわよ」

息子はランドセルを背負いながら「ママ、僕、生姜焼きでもいいよ。だってさ、パパ、毎日お仕事がんばってるもんね」と、ちょっと照れ臭そうに頭を掻《か》いた。

「パパ、そんなこと聞いたら、嬉《うれ》しくって泣いちゃうかもよ」と、私は息子の頭を撫でた。

息子を学校に送り出し、洗濯物を干した後、リビングの掃除機掛けをしようとしたときだった。キッチンカウンターの端に置いてある電話が鳴った。

夫の会社からだった。

——奥さん、課長が、ご主人が事故に遭われて重傷だと、たった今警察から……。

声の主が、一体なんのことを言っているか咄嗟《とっさ》には理解できなかった。あの人が事故に？　さっき家を出て、メールまで送ってきたじゃない。そんなことあるはずがない……。

ステンレスの水切り籠《かご》にある夫のマグカップを見つめた。

——救急センターに搬送されたようなので。あのー、もしもし、もしもし……。

何かの間違いだ。そうに決まっている。そう思いながら、急に胸がざわついた。とにかく病院へ行って、間違いだと確認しなくちゃ。私は着の身着のままで家を飛び出した。病院に駆け込むと、病院のスタッフに導かれて廊下を走った。と、集中治療室のドアが開き、キャスター付きのベッドが運び出された。

「あなたっ」横たわった夫に駆け寄った。

「手を尽くしましたが、残念ながら」と、医師は首を振りながら私に告げた。

夫の顔は目立った傷もなく、まるで眠っているようだった。それに触れた指先は微《かす》かに温かい気がした。

「だって、指が、ほら、温かいでしょ、ほら」

医師はもう一度、首を横に振った。

そこからの記憶は断片的にしか残っていない。

その場に崩れ落ちたのかもしれない。何かを叫んだのかもしれない。「お気を確かに」と誰かに支えられたのかもしれない。どうやって夫の両親や私の実家に連絡したのか、息子を誰が学校に呼びに行ったのか、今でも詳しく思い出せない。

夫がこの世から去ってしまった実感のないまま、慌ただしく葬儀の段取りに追われた。

通夜の晩から降り始めた雨は葬儀まで止むことはなかった。

傍目《はため》には気丈に振る舞っているように見えていたのかもしれないが、あのときの私は私であって私ではなく、どこかふわふわとした感覚の中をさまよっていた。

それでも、涙を堪《こら》えながら弔問客に頭を下げていた息子の姿と、その膝の上で固く握られた拳《こぶし》は鮮明に覚えている。

しばらくして、警察から事故の状況について説明があった。

「あのトラック、積載オーバーしてましてね。交差点を右折するときにバランスを崩して、うまく曲がり切れずに歩道へ突っ込んでしまったんです。信号待ちしていた人は結構いたんですが、一瞬早く気づいた人は難を逃れられたんです。ですが、ご主人ともうおひと方が逃げ遅れてしまって。特にご主人は自転車に跨《また》がってたので、素早く反応ができなかったんでしょうね。それに、一緒に信号待ちしていた人の証言に依《よ》ると、ご主人、ケータイの画面を見ていたそうで……」

自転車に跨がり、メールの文面を打つ夫の姿が浮かんだ。あの最後のメールは事故に遭う直前に送信したものだったのかもしれない。

もし、駅近のマンションに住んでいたら……。もし、あの朝、雨が降っていたら……。あの日、夫は事故に遭うこともなかった。それに、もし、メールじゃなくて電話だったとしたら。何を考えても悔やむ気持ちしか生まれてこなかった。

日が経つにつれ、私と息子の生活は少しずつ落ち着いていった。いや、静かになったという感じだった。その反面、ぽっかりと空いた心の隙間に悲しみが沁《し》み出してくる。

身体のどこかが悪いというのではない、ふと脱力感に包まれると何も手に付かなかった。親しい友人が気に掛けてくれて「ちょっとお茶でもしよう」と、なんとか私を表に連れ出そうとしてくれても断ってしまった。気持ちは有り難かったが、どうしてもそんな気になれなかった。

ソファでうたた寝をしてしまったとき、玄関の方で物音がすると「あ、帰ってきた」とびくっとして目覚めて落ち込んだり、取り込んだ洗濯物を畳んでいるとき、夫の分が減ったその量の少なさに、急に泣けてきたりした。

ここに住んでいたらヘンになりそうだ。

夫が事故に遭った場所の近くで生活をするのは辛《つら》い。否《いや》が応でも、そこを通れば思い出してしまう。それは息子も一緒だろう。

「隼人、引っ越そうか？」

そう尋ねると息子は「ううん」と首を振りながら俯《うつむ》いた。

「あのさー、僕さ、パパの近くにいたい……。だって、ここから僕らがいなくなっちゃったら、パパ寂しいって思うかもしれないし」

「平気なの？　パパのこと思い出さない？」

「うん、僕は平気。だって思い出さない方が可哀想だし」

その言葉にはっとした。息子にとっては父親と暮らした思い出の部屋なのだ。

ただ、その思い出は時として棘《とげ》のような痛みを伴う。キャッチボールをしている父子《おやこ》を見掛ければ、息子は言葉には出さずとも明らかに顔を曇らせた。その姿に切なくなった。が、どうすることもできない自分が歯痒《はがゆ》かった。

息子は夏休みの間、私のベッドに潜り込んで一緒に眠った。暗闇に聞こえる息子の寝息や気配に救われたのは私の方だった。

二学期が始まると息子はちゃんと登校した。むしろ私がだめな母親で、しばらくの間、学校までついて行った。そうしないと、息子まで突然消えてしまいそうで怖かったのだ。

秋の運動会が終わった頃だったか、ある日、息子が目を真っ赤に腫《は》らして帰宅した。明らかに泣いた様子だった。

「どうしたの？　けんかでもしたの？」

「お前んち、とうちゃんが死んで、たくさんお金をもらったんだってな。金持ちになったんだからいいよなって言われた」

無性に腹立たしくなった。

「お金なんか要らないよね。パパが生きてた方がよかったよね」

相当、悔しかったのだろう。息子はそう言いながら目尻《めじり》から大粒の涙をこぼした。

保護者会などで顔を合わせたとき、他の母親たちが「大変だったわね」と声を掛けてくれたりもした。ただ、中には「旦那《だんな》さんが亡くなってお金がたくさん入ったらしいわよ。だから仕事もせずに悠々自適らしいわ、なんて酷《ひど》い陰口を言う人もいるのよ」と、教えてくれるお節介な人もいる。きっと、そういう母親たちの話を聞いて、その子は息子に心ないことを言ったに違いない。

仕事をしなくても、少しの間なら暮らせるだけの貯《たくわ》えはあった。

団体信用生命保険に加入していたので、マンションのローンはなくなった。退職金も支払われた。確かに保険金や賠償金も入った。でも悪事を働いて手にしたものではない。それはすべて夫の命の代償なのだ。それだけに息子の将来のために使おうと、一切手をつけていない。なのに、そんな理不尽なことを言われるなんて……。

いつまでもふさぎ込んでばかりもいられない……。息子のためにも、いいかげん立ち直らなければ。私は働こうと決めた。だからといって、息子の世話を疎《おろそ》かにすることはできない。せめて小学生の間は、できるだけ一緒に過ごしてやりたい。ならば、時間に融通の利くパートでもいい。とにかく今は親子ふたりが生活できるだけの収入を得られれば……。

それから一週間後、買い物に出掛けた帰り、駅前商店街にある不動産屋の前で足を止めた。物件情報に交じって〝経理経験者求む〟という貼り紙が目に留まったからだ。元々、息子が生まれるまで、大手食品会社の経理部に勤めていた。これならやれるかもしれない。

翌日、履歴書を持って不動産屋に向かった。

「よかったよ。実は経理をやってもらってた人が、旦那の転勤について行っちまったもんだから、困ってたんだ」

社長の金子さんは、そう言って喜んでくれた。七十は過ぎているだろう。小柄で、額は少し禿《は》げ上がっているが、血色もよく、何よりやさしそうな、いや善人そうな印象だった。

「すみません、ただちょっとお願いがありまして……」

私は息子をひとりにしておく訳にはいかないので、五時には家に戻りたいということを話した。

「ああ、そういう事情なら構わんよ。やることをしっかりやってくれればね。もっとも、不景気で威張れるほどの給料は出せないけど。ま、あとは、電話番してもらったり、お客がきたら、お茶くらいは出してもらえると有り難い」

その程度のことなら何も問題はない。むしろ、こちらのわがままを聞いてもらえるなんて感謝すべきだ。

「ママね、駅前の不動産屋さんで働くことにしたの」

私は夕食を作りながら、ダイニングテーブルで宿題をしている息子に話し掛けた。

「夕方、ちょっとの間だけど、ひとりでお留守番できる？」

「うん、できる」

心細そうな表情をするのではないかと心配だったが、息子は笑顔を見せた。ふさぎ込んでいる姿を見せてしまっていたせいか、息子としても安心したのかもしれない。

その晩、私はリビングのサイドテーブルに夫の写真を飾った。三人で散歩に出た公園で、息子を見つめる父親のやさしい横顔を、私がこっそりと撮影したものだ。

その写真の脇に、夫の誕生日に私がプレゼントした定期入れと財布、そして充電ホルダーに納めたケータイを置いた。

携帯電話の背面には道路に落ちたときにできたのだろう、縦に引っ掻《か》き傷のような線が三本残されていた。それでも、壊れることなく機能を失わなかった。

ケータイは持ち主がいなくなってしまったのだから、本来なら解約するべきなのだろうが、そうしてしまうと薄情な気がしてできずにいた。

初出勤の朝、息子を送り出した後、夫の写真に向かって「行ってきます。隼人をお願いね」と声を掛けてから部屋を出た。

出勤すると、店内に社長の姿はなく、カウンター越しの奥の机に、丸顔で小太りなおばさんが座っていた。

「おはようございます」

「ああ、新しい人だね。社長から聞いてるよ。えーと、糸井《いとい》綾子《あやこ》さんって言ったっけね」

その女性は満面の笑みで「はいはい、あんたの席はこっち」と私を手招きした。

「あたしは竹田。もう、ここに雇ってもらって二十年以上になるかね。ま、主みたいなもんだから、分かんないことがあったら何でも訊《き》いて」

竹田さんは年の頃なら六十半ばくらいだろうか。母親の年代だ。

「あんた、大変だったね」

「え?」

「旦那さんのこと」

「ええ、ああ、はい……」

「でも、あたしと一緒だね。あたしも亭主を亡くした組だよ。もう大昔のことになっちゃったけど」

「そ、そうなんですか」

「うちのは大酒飲みで肝臓悪くして死んじまったんで、飲んべえの本人は本望だったんだろうけどさ。遺《のこ》されたあたしらは苦労したよ。子どもたちだって、上が高校で、下が中学だったからね。食べさせるだけで大変だったよ。ここの社長に雇ってもらえなかったら、それこそ一家心中だった」と豪快に笑った。

「そうそう。あんたとあたしで〝未亡人クラブ〟を作るのはどう？　折角だもの、仲良くやりましょう。ああ、そうだ。あんたね、どうせなら宅建の資格を取ったらいいよ。なーに、あたしにだって取れたんだから。ね、そうしなさい」

ズケズケとものを言う人は苦手なので最初は戸惑いも感じたが、竹田さんの物言いは少々荒っぽくても、どんな人の慰めの言葉より、私を前に進めてくれそうな気がした。

「よろしくお願いします」

「そう、その調子」

久々に心の芯《しん》が温かくなる思いがした。


師走《しわす》になって、商店街にも有線放送のスピーカーからクリスマスソングが流れ始めた。夫が亡くなってから三度目のクリスマスがやってくる。

この二年半の間に変化したもの。息子は五年生になり身長が十センチ伸びたこと、それから学習塾に通い始めたこと。そして〝僕〟を卒業して〝オレ〟と、自分のことを言うようになったことだ。私は、不動産屋で経理の仕事をしながら、竹田さんに勧められた宅建の資格を取ろうと、少しずつ勉強を始めた。

〝未亡人クラブ〟は健在で、竹田さんと私の親密度は増した。昼ご飯はお互い持ち寄ったおかずを分け合いながら食べる。社長からは「本当の母子《おやこ》みたいだね」と言われるほどだ。

「綾子ちゃんち、もうツリーは飾ったの？」

「いえ、今年はまだ。でも、そろそろ出します」

毎年、十二月に日付が変わると、夫と息子はクリスマスツリーの飾り付けをした。

夫を亡くした年の暮れ、本来なら喪中ではあったものの、息子にクリスマスを我慢させるのが忍びなくて、一緒にツリーの飾り付けをした。

息子は「サンタさんにお願いするんだ」とツリーの下に手紙を置いた。何をお願いしたんだろうと、息子が寝た後に手紙を読んだ。

〝サンタさんへ。ぼくはいい子にしているから、パパをかえしてください。そうしたらプレゼントはいりません〟

モノなら用意することもできたのに、その願いはどうやっても叶《かな》えてあげられない。クリスマスの朝、落胆する息子の姿を想像すると、切なさに胸が圧《お》し潰《つぶ》され、涙が溢《あふ》れて止まらなくなってしまった。

そんなことを思い出して目頭が熱くなる。

「どうしたの？」

「ちょっと昔のことを思い出して……」

息子の手紙のことを話すと、竹田さんは「はぁ、そりゃあ、こたえるねぇ」と大きな溜《た》め息をついた。

「ええ……。なのに最近はちょっと反抗的っていうか、私が手を貸すのを嫌がるみたいなところがあって……。もう、どう接すればいいのか、別の意味でこたえてます」私は頭を振ってみた。

「うちもそうだったけど、男親がいないと男の子はさ、母親の手前、男になろうとがんばるところがあるからね。本人が気づいているかどうかは分からないけど、小さいなりにいろんなことと闘ってるんだよ、きっと」

「そうなんでしょうか……？」

「なーに、綾子ちゃんはどんと構えてればいいんだよ」

「そういうことがなかなかできないんですよね、私って。隼人のことだけでもこんな調子なのに、うちの母がいろいろと言ってきたりするもんだから……」

「あら、お母さん、どうかしたの？」

「ええ、実は昨夜《ゆうべ》、電話があって……」

——綾子、お正月はこっちに戻ってくる？

——まだ先の話じゃない。

私の実家は埼玉の上尾《あげお》にある。航空チケットや新幹線の予約も不要だ。帰ろうと思えばいつでも帰れる。

——隼人は?

——今、お風呂《ふろ》に入った。

——あら、残念。ちょっと声が聞きたかったのに。

——あ、そうだ。お母さん、あの子が可愛いのは分かるけど、ああいうメールを隼人に送るのやめてよね。

お風呂に入っている息子の耳に届くはずもないが、私は風呂場の方を窺《うかが》いながら声をひそめた。

——クリスマスのプレゼント、何がほしいか訊いただけじゃない。

——そのことじゃなくって。おばあちゃんたちと一緒に住まないかって、メール送ったでしょ、もうっ。

昨日、息子が「ママ、上尾のおばあちゃんちに引っ越すの?」と訊いてきた。

「オレ、転校するのイヤだよ」

意味の分からなかった私が「そんなことないわよ。でも、どうして?」と訊き返すと、母からそういうメールをもらったとのことだった。

——それは、その、お父さんが訊いてみろって言うから。

私に言っても色好《よ》い答えを出さないものだから、息子から攻めてみようと思ったのだろう。

――向こうの両親の手前もあるし、そう簡単な話じゃないわよ。

夫が亡くなったからといって、夫の実家との縁が切れた訳じゃない。夫の遺骨は、館山《たてやま》にある夫の実家の墓に入れてもらっている。それは、とりあえずそうしてもらっているだけのことで、そろそろお墓のことも考えなくちゃならない。

――向こうの親御さん、何か言ってきてるの？

――別に、何も……。

咄嗟《とっさ》に嘘をついてしまった。

「綾子さんを縛る気はないけど、隼人だけが糸井の名前を継いでくれるんだから」と、義《は》母《は》から言われたことがある。夫が生きていれば当たり前だったことが、妙にプレッシャーに感じられ憂鬱《ゆううつ》になった。

――なら、いいけど。あちらと一緒に住むようなことにでもなったら、がっかりだもの。

――お母さん、そういう言い方やめてくれない？

夫には妹がいて、結婚して横浜に住んでいる。義妹《いもうと》のところにも子どもはいるが、女の子がふたりだ。一方、私には名古屋に嫁いだ姉がいるが、こちらの子どもも女の子だ。つまり、隼人は両方の両親からみると、唯一の男の子の孫なのだ。

——それに綾子の今後のことだってあるし……。

——私の今後のこと？

——まだ綾子だって四十前だもの。亡くなった雅也《まさや》さんには悪いけど、その……。

——何言ってるのよ、もうっ。とにかく、ああいうメールは送らないでよ。じゃあね。

息子がお風呂から上がってきた気配に電話を切って、子機をホルダーに戻した。

「ふーん、そうなの、そりゃあまた厄介な話だね。両方の親御さんに挟まれちゃって、それにお墓の心配までしなくちゃならないなんて大変だ。ただ、綾子ちゃんのお母さんの気持ちも分かる気もするし、よわったもんだねえ」と竹田さんは頷《うなず》いた。

「息子さんやお孫さんたちと暮らしたいと思ったことはないですか？」

「え、あたし？　あたしはひとり暮らしの方が気楽でいいから。あの子たちも一人前に所帯を持ってしあわせにやってるんだから、それでいいんだよ。息子たちは、おふくろ、いつか一緒に暮らそうとは言ってくれてるけど、嫁たちがどう思うかねえ……」竹田さんは机の上で擦り合わせていた指先に視線を落とした。

ひとりの方がいいなんて、竹田さんは強がっているんじゃないだろうか。

「じゃあ、再婚を考えたことはなかったですか？」

「再婚かい？　ははは、そんなこと考える間もなかったね。なんせ、ふたりの子を育てるんで手いっぱいでさ。第一、年もいってたし、それにこの器量じゃ誰も声なんか掛けてくれないよ。その点、綾子ちゃんはまだ若いし、器量よしだし、これからいい人と巡り会うかもしれないしね」

「いいえ、私は……」

「ううん、可能性はあるって話。だって、先のことなんて分かんないしね。ただ……そんなに簡単には旦那《だんな》さんのこと、忘れられないよねえ……。綾子ちゃんの旦那さんのことだから、きっとやさしい人だったんだろうし」

「やさしいというか……」私はいったん言葉を区切り、夫の顔を思い浮かべた。

「あの人は何かほんわりとした感じだったかなあ……」

夫との出会いは、友人の結婚パーティーの二次会だった。

新婦以外に知り合いがいなかった私は店の隅っこの席で暇を持て余していた。

そのとき「ここ空いてます？」と、背の高い男性が隣の椅子を指差した。

「ええ」

「どうもこういうパーティーとか苦手で、ちょっと避難してきました」と、照れるように頭を搔《か》いた。私は人懐っこい笑顔というものを初めて見た気がした。

その後、誘われて何度か食事をするうちに、つきあいが始まった。

その頃、会社で厄介な仕事を押し付けられて気が滅入《めい》っていた。それが元で同僚とも衝突したりと散々だった。デートの度に、一方的に私が仕事の愚痴をこぼした。夫だって疲れていたはずなのに、それを黙って聞いてくれた。そして最後には必ず「悪いこともあれば、その分、いいことだってあるよ。大丈夫だよ」と、私の手の甲をポンポンと指先で叩《たた》いた。

「何も分かってないくせにっ」と、膨れっ面をしてみるものの、帰宅してベッドに入り目を閉じると、夫の声が胸の奥でじわじわと広がった。すると不思議なもので、心がすーっと軽くなり、なんとかなるかぁという気になれた。

この人となら結婚してもいいなあと意識するのに、そんなに時間はかからなかった。そして、そういう私の思いを夫は裏切らなかった。

夫は結婚してからも、私が料理を失敗しても、義母の誕生日を間違えても、息子が熱を出しておろおろしたときも「大丈夫だよ」と変わらずに言ってくれた。

「へーえ〝大丈夫だよ〟ねえ。そりゃあ魔法の言葉だ」と、竹田さんは感心する。

その魔法の言葉をもう随分と聞いていない。いや、もう一生、聞けないなんて。

「うちのなんか気の利いたことなんてひと言も言ったことなかったからね。それどころか、あたしの話なんかロクに聞いてもくれなかったし。だからね、今になって、たくさんあたしの愚痴を聞いてもらってるの」

私は首を傾げた。

「毎晩、仏壇に手を合わせるでしょ。そんときに、今日はこんなことがあったよ、あんなことで腹が立ったよってさ。生きていたときと同じで、あの人は何も応《こた》えちゃくれないけど、口にすることで、あたしの気が済むの。愚痴るときは声を出さなきゃだめなんだよ。心の中で言っちゃだめ。そうじゃないと届かないの。きっと、あの世で煩《うる》せえ母ちゃんだなぁって思ってるかもしれないけど、自分は勝手に死んじゃったんだから、愚痴ぐらい聞いてもらわなくちゃ、遺されたあたしは割が合わないよね」

ご主人への不満を言っているのに、竹田さんはしあわせそうだ。口で言うほど、ご主人との仲は悪くなかったのだろう。

「短くても長くても、それが夫婦としての歴史だからね。他人《ひと》様がどうこう言っても、その夫婦じゃなきゃ分からないことはたくさんあるし。綾子ちゃんも辛くなったら、その、ほんわかしただったっけ、その旦那さんに愚痴るといいよ」

「ええ、そうしてみます」私は何度も頷いてみせた。

その晩、息子が寝た後、風呂上がりのパジャマ姿で夫の写真と向き合った。

「声を出して愚痴ってみる……か」

私は姿勢を正した。なぜか緊張する。いつも胸に思っていたことを吐き出そうとしたのに、いざとなると何も出てこない。それにどこか気恥ずかしい。

「やっぱり、だめだ……」

そのとき、ふと写真の脇に立つケータイに目が留まった。

メールだったらどうだろう？

勿論《もちろん》、送ったメールを夫が読んでくれるはずもない、ましてや返信がくる訳でもない。それでもなんとなく天国の夫に届きそうな気がした。

私はバッグの中から自分のケータイを取り出した。

アドレス帳の〝家族〟というグループの一番上に〝パパ携帯〟という表記がある。

221-hayato-1005＠……。夫の誕生日、息子の名前、そして私の誕生日だ。もう二年半も、そのアドレスにメールを送ったことがない。

〝どうして死んじゃったの？〟頭に浮かんだことが素直に打てた。

「届いて」と願いながら、送信ボタンを押す。すぐに夫のケータイのランプが点滅して、ブーブーブーと震えた。

あの人、返事をしてくれているんだ。

ばかばかしいかもしれないが、そのバイブ音に合わせて、夫が小さく三度頷いてくれたように思えた。

〝私たちの側にいるの？〟

次の文章を打って、送信ボタンを押す。夫のケータイに目を移して、息を止めながら待つ。ブーブー。夫のケータイが震える。

〝生姜《しょうが》焼き食べたかったの？〟送信。

〝大丈夫だよって言って〟送信。

思いつくままメールを打つ指が止まった。もしかしたら、夫のケータイが事故のときに壊れなかったのは偶然ではなく、夫が私のために遺《のこ》してくれたのかもしれない。

〝気づかなくてごめんね。そしてありがとう〟送信。

結局、夜がしらじらと明けるまで、夢中になってメールを送り続けていた。

その夜を境に、私は日々のささいな出来事まで夫に報告するようになった。

〝今日は寒かったね〟〝クローゼットのスーツはどうしたらいいの？〟〝隼人が算数で70点。これって微妙？〟〝クリスマスプレゼントは何がほしかった？〟〝この頃、隼人が冷たい〟〝もう泣かない。嘘、まだ泣くかも〟

夫へのメールは就寝する前の私の〝儀式〟になった。それは決して一方通行なものではなく、私にとっては、大切な夫婦の会話なのだ。

「なんかさ、最近、ママ、やたらと嬉《うれ》しそうじゃねー？」

イブの朝、息子が尋ねてきた。

「分かる?」私はにやにやと笑った。

「わっ、キモっ」と、息子は退《ひ》いた。


イブは息子とふたりきりのささやかなクリスマスパーティーだ。

「竹田のおばちゃん、こなかったんだ」息子がちょっぴり残念そうに尋ねてきた。

数日前「よかったら、うちにきませんか?」と竹田さんを誘った。

「綾子ちゃん、ありがとうね。でも、折角誘ってもらったのに悪いんだけど……。その日は長男からうちに遊びにこないかって言われてるのよ。こんなときにでも恩を売っておかないと後々マズいと思ったんじゃないの? 財産なんか何もないのにねえ。それに孫にプレゼントをせがまれちゃ行かない訳にはいかないし」竹田さんは照れ臭そうに目を細めた。

「よかったじゃないですか」

そう答えながら、竹田さんの長男のように、私や夫の両親にも声を掛けるべきだったかな、と少し気が咎《とが》めた。でも正直なところ、そうなったらなったで気疲れもしただろうし……。

「隼人、おばちゃんからプレゼント預かってきた。今度会ったら、ちゃんとお礼言いなさいよ」と、トナカイが描かれた緑色の手提げ袋を息子に渡した。

「お、やった。何かな？」と、息子は包みを取り出すとリボンを解こうとした。

「だめでしょ。プレゼントは明日《あした》の朝。ツリーの下に置いてきなさい」

「ちぇーっ」

ツリーの下には、両方の祖父母が送ってきたプレゼントが置いてある。

「早く明日にならないかなあ」

ツリーと並んで立つ息子の背丈は、いつの間にかトップに飾られた金の星より高くなった。

明日《あす》の朝、プレゼントを開けて喜ぶ息子の姿をケータイムービーに撮って、夫に送信してあげよう。

「さぁーて、それじゃ食事にしましょうか」

ダイニングテーブルには、ローストチキン、ポテトグラタン、ホワイトアスパラのサラダ、そして4号サイズのクリスマスケーキが並んだ。

「はい。メリークリスマス」

シャンパンとジュースで乾杯をする。私は夫の椅子に視線を向け「メリークリスマス」と心の中で呟《つぶや》いた。

食事を済ませて、ケーキをカットしようとしたときだった。

「ママ、切る前にロウソクに火を点《つ》けなくっちゃ」

「あ、うっかり忘れてた」

「もう、しっかりしろよな」

「ごめんごめん」

ライターを手にして火を点けようとするが、炎が定まらずにうまくいかない。

「ママ、ホントにぶきっちょだなぁ。ちょっと貸して、オレがやるから」

息子はそう言うと、私からライターを取って手際よくロウソクに火を灯《とも》す。

「上手ね」

「パパのやり方見てたんだもん、覚えるでしょ」と息子は事も無げに答えた。

そうか……。ロウソクに火を灯す役は夫だったんだ。ライターを持った夫の指先を思い出す。

「じゃあ、吹き消すよ」

「あ、待って待って。写真撮らなくちゃ」私は慌ててデジカメを構えた。

カメラやビデオの担当も夫だった。きっと夫は「君は準備が足りないなあ」と呆《あき》れながら、どこかで笑っているはずだ。

息子と交互に写真を撮り合った後、やっとケーキにナイフを入れた。

「サンタはオレがもらっていい?」息子がケーキの上に載った砂糖菓子のサンタを指差した。

「いいわよ。じゃあ、ママは苺《いちご》の多いところをもらおうっと」

切り分けたケーキを皿に載せた。ふたりきりだと、4号サイズのケーキでも余ってしまう。それがちょっと切ない。

「隼人、これ、パパの分」

「ほおーい」

息子は、それを夫の写真の前に置いた。

「ねぇ、隼人、ママには何をくれるの？」ケーキを口に運びながら尋ねた。

「え、ああ、肩たたき券」

「ええっ、それって母の日と同じじゃない」

「なんで、大人が子どもに期待するかなあ」

生意気なことを言うようになったものだ。

「じゃあいいわよ。ママはサンタさんからもらうから」

「何、言ってんだよ。サンタなんかいないじゃん」

「夢がないわねえ。大体、ついこの間まで、サンタさんがきたって大喜びしてたのは、どこの誰だっけ？」

「もう、そんなガキじゃないし」

「よく言うわよ。パジャマを裏返しに着てても全然気づかないくせに」

もっとも、そういうところは息子に限ったことではない。夫もよく裏返しに着ていたっけ。

「ふーん、じゃあ、サンタがいたとしてママは何がほしいんだよ？」

「うーん。あ、そうだ。宅建のテスト用紙がいいかも。問題が分かってたら合格間違いなしだもんね」

「ええっ、それってズルじゃん」

「だって、受験なんて大学入試以来だもの。ママ、ちょっと自信ないんだよね」

「なんだよ、オレにはテストのときしっかりがんばれって言うくせにさ」

息子はそう言うと、フォークの先で苺を突《つっ》きながら「だけどさ、ママならズルしなくても……大丈夫だよ」と、顔を上げて私を見た。

「隼人……」私は思わず息子をじっと見つめ返した。

「うん、何？」

「その言い方……」

「それが何？」

「その〝大丈夫だよ〟って言い方、パパにそっくり……」胸が高鳴るのを感じた。

偶然なのだろうか。いや、夫が言わせたのかもしれない。クリスマスイブだもの、それくらいの小さな奇跡なら起こってもいいはずだ。

「だって、パパとオレ、親子だもん。似ててもいいじゃん」息子は照れ臭そうに笑った。

「そうだね、親子だものね」

そう答えながら、確実に心の一番柔らかい部分が温かくなっていくのを感じた。

ケーキを食べ終えて、お風呂《ふろ》に入った後、息子とソファに並んでバラエティー番組を観た。

十時のニュースが始まった頃、息子はあくびをすると「オレ、もう寝る」と立ち上がった。

「じゃあ、ママも後片付けしちゃおうかな」

「じゃあ、おやすみ」息子は自室に入って行った。

私も立ち上がって、テレビを消すとキッチンに立った。

片付けをさっと済ませて、ダイニングの椅子に腰掛ける。

シャンパンもまだ残ってるし、もう少しイブの雰囲気を味わおうかしら。

シャンパンのボトルとグラスをふたつ、リビングのテーブルに運んだ。

「そうだ、アロマのキャンドルがあったはず……」

私は寝室に行って、チェストの引き出しを捜した。

「確か、ここにしまっておいたはずなんだけど……。あった」

夫がフランスに出張した際、お土産に買ってきてくれたものだ。なのに、一度も使う機会がなかった。

リビングに戻り、キャンドルに火を灯す。照明を落とすと、静かな室内にはツリーの豆電球が放つ光と橙色《だいだいいろ》の炎が揺れた。

「じゃあ、改めて乾杯しましょう」

シャンパンを注ぐと金色の泡がグラスの中ではじけた。

夫が生きていてくれたら、イブの過ごし方も違っていただろう。私は胸元に手をやり、十字架をあしらったネックレスに触れた。夫からもらった最後のクリスマスプレゼントだ。

「隼人のプレゼントばっかり気にしてたら、君の機嫌を損ねかねないからなあ。あっちこっちの店を探しちゃったよ。あんまり高いモノじゃないけど、これ、君に」

「もう、わざわざ高いモノじゃないって付け加えなくてもいいのに」

「あ、しまった」と、夫は頭を掻《か》いた。

「でも、そこがあなたらしいわね。ありがとう」

「じゃあ、来年は大きなダイヤのやつを……」と、夫は微笑んだ。

今となっては、どんな高価な宝石よりも、息子の成長を見守る一緒の時間がほしかった。平凡でも親子三人で過ごせるイブがほしかった。人は本当に大切なものを知るために、大きな犠牲を払わなければならないのだ。もう、メソメソするのはやめようと思っていたのに、思わず涙が溢《あふ》れそうになる。

と、仄《ほの》かに明るい部屋の中に、ブーブーブーという音が響いた。

テーブルの上に置いた私のケータイが受信を知らせる。私は目頭を押さえ、洟《はな》をそっと啜《すす》るとケータイに手を伸ばした。

メールだ。誰から？　ケータイを操作し、発信者名を表示させる。その名前に、はっと息を呑《の》んだ。

パパ携帯……。夫のケータイから送られてきたものだ。

え、どういうこと？　急ぎメールを開く。

〝ママへ。パパの分までオレもママといっしょにガンバル。きっと大丈夫だよ〟

夫のケータイを見た。ホルダーにケータイの本体が見当たらない。微《かす》かな人の気配に振り向くと、息子の部屋のドアがゆっくりと閉まった。

「隼人……」

もしかしたら、あの子、知ってたの？

〝大丈夫だよ〟

夫と息子、ふたり分の気持ちが込められた最高のクリスマスプレゼントだった。

私はすぐに返信の文章を綴《つづ》った。

〝やっぱり今夜は泣きます。だって嬉《うれ》しいんだもの〟

想い出バトン

「ただいまあ」

帰宅すると、母は居間でテレビを観ていて、父の姿はなかった。

「そうか、今日はパソコン教室の日だったね」

「今晩で修了らしいわよ。会社も明日《あした》で仕事納めだしね」

「定年間近になってから、パソコンを頑張らなきゃならないなんて大変だわね」と、父をからかうと「仕方ないだろう。やらなきゃならないことがあるんだから」と、憮然《ぶぜん》とした。

父は飲料メーカーで営業部長をやっている。一応、会社では以前からパソコンを使っているようだが、それはメールを読む程度らしい。

「エクセルだのパワーポイントだの、なんなんだ、あれは。まったく分からん」いつだったか、そんな愚痴をこぼしていた。

「そんなことも分からないで、よく部長が務まるわね」と、私が突っ込むと「資料なんか手書きの方が早い。それをまとめるのは若いヤツの仕事でオレの仕事じゃない」と答えた。

大体、父はパソコンに限らず、その手の機械に弱い。携帯電話は持っているものの、通話はしてもメールのやり取りはしない。いや、メールアドレスの設定そのものをしていない。

「用件なんて話せば済むことだろう」

それが父の言い分だ。確かにそうだけど、今時、そんなふうで仕事に支障がないなんて驚きだ。父が私の上司だったら願い下げというタイプだが、まあ、それでも知ったかぶりをする人よりは可愛げがあるのかもしれない。

そんな父が何を突然思ったのか、十月から会社帰りに週二回パソコン教室に通い始めた。もう三ヶ月になる。最新の高級マシンまで買い込む熱の入れようだ。

「私が教えてあげようか？　エクセルなんてちょろいんだから」

私は中堅どころの建設会社の総務課にいる。だからエクセルなんてお手の物だ。

「ばか。お前に教えてもらうなんて、イライラするに違いない。お金をちゃんと払って他人から教えてもらう方が気が楽だ」

それはそうだろう。私としても仕事じゃないので、父の呑《の》み込みの悪さにイライラするはずだ。

ただ、突然習い始めたのには何か理由があるはずだけど……。

「ねえ、お母さん。お父さんって、今の会社定年になったら、再就職するつもりなのかなあ？」

この不況が続くとすれば、再就職の口も容易《たやす》くは見つからないかもしれない。その上、パソコンくらいできないようでは尚更《なおさら》難しいだろうし。ならば、父が教室に通い始めたとも理解できる。ただ、日頃から父は「三十八年も働けば充分だろう」と威張っているくらいだから、この先働く気があるのかどうか。

「さあ、どうかしら」

「どうかしらって、お母さん、そういうことを話し合わないの？」

「全然」母はおっとりした口調で笑った。

「全然って……。夫婦なんてそんなもんなの？」

結婚生活も三十年以上続けると、俗にいう空気のような存在になるのか、あるいは阿吽《あうん》の呼吸で以心伝心するものなのか。確かに、私が見る限りでは両親の夫婦仲はいい。新聞に折り込まれた〝うまいもの物産展〟のチラシを見つけると、連れ立ってデパートに出掛け、一度では食べ切れない程の名物弁当やお菓子を買ってきたりする。それはそれで楽しそうだ。ただ、今はよくても、退職後の生活というのは、それなりの問題だってあるはずだ。貯《たくわ》えがどれくらいあるのか分からないが、父が働かなくても余裕があるのならいい。でも、たとえお金に心配がなくても、勤めを辞めた人が、途端に老け込んだりするという話もよく聞くし……。

「先々不安じゃないの？」

「だって、なるようにしかならないじゃない」

「私と康祐《こうすけ》も、いつかそんなふうになっちゃうのかなあ？」

「そんなことはあなたたち次第で、お母さんには分からないわよ」

康祐は私の婚約者で、一ヶ月半後のバレンタインデーに挙式することになっている。

三年前、同僚に連れられて、ワインを飲みながら意見交換して各々のキャリアに役立てようという異業種交流会に参加した。つまり体のいい合コンだ。そこで携帯電話会社に勤めている彼と知り合った。

「康祐くんは、仕事忙しいの？」

「なんか、ケータイ業界も競争が激しくて大変みたい」

「そうなの。会社潰《つぶ》れたりしない？」

「ちょっとやめてよ、結婚する前に縁起でもないこと言うの」私は笑った。

とはいえ、この不況ではどんなことが起こっても不思議じゃない。一部上場企業だからといって、潰れないという保証はないのだ。

「お母さん、お願いだから、お父さんの前で絶対そんなこと言わないでよ。そうじゃなくても、結婚の話が決まってから不機嫌なんだからさ」

父は康祐との結婚に反対している訳でも、彼を嫌っているということでもない。単に私が誰かとつきあうということが厭《いや》なのだ。

昔から私は、交際相手を親に隠しながらつきあうということはしなかった。

ただ、これまでも実際に交際相手を連れてくると「どうしてお父さんが挨拶《あいさつ》しなくちゃいけないんだ?」と不機嫌になった。

「どうしてって、当たり前じゃないの。父親なんだから。大体、女の友だちがくると、呼んでもいないのにホイホイ顔を出したがるくせに。同じようにしてくれればいいのよ、もうっ」

「できるかっ」

そんなやり取りが始まると「まともに人の目を見て挨拶もできんヤツのどこがいいんだ。オレが人事部だったら雇わない」だとか「靴も揃えられないのか。お里が知れるっていうのは、ああいうヤツのことを言うんだ。きっと親がロクな躾《しつけ》もしてなかったに決まってる」などと、自分のことは棚上げにして、言いたい放題だった。しかし、その父の判断は八割方当たっていた。それだけに腹が立つこともあった。ただ、大学生の頃の男の子なんて、みなその程度なのだ。

「つきあうのは私で、お父さんじゃない」

そんな言い争いがあると、一ヶ月くらいは会話がなくなったものだ。もっとも、父のせいでそれまでにつきあった人と別れた訳ではなく、それはあくまで当人同士の問題。結婚までの縁がなかったというだけの話だ。

とはいえ、父との関係がギクシャクしたことはない。そういうことがあったとすれば随分と昔のことで、中学生の頃の女の子にありがちな拒否反応ぐらい。「お父さんのパンツと一緒に私の物を洗濯しないで」などといった一時のはしかのようなものだった。大人になってからは、むしろ私の方が上手《うま》く合わせている感じだ。

「康祐くんは、真面目そうだからあんまり神経を遣い過ぎなければいいけどね」母が心配そうな顔をした。

康祐は穏やかな人で、一緒にいると癒《いや》される。そこが多分、それまでにつきあった人になかったところだ。二十代の前半までは、得てしてジェットコースター的なアップダウンの激しい恋愛をしたがったが、三十路《みそじ》目前ともなると、私の考えも変わった。雑誌なんかの投書欄にも同じような記事が載っている。

もし、もっと若いときに出会っていたら、友だちになれても、恋愛の対象にはならなかったはずだ。康祐に出会えたタイミングはよかったのかもしれない。

康祐は感激屋というのか涙脆《なみだもろ》い。映画を観に行ったときでも、感動のシーンでは私より先に鼻をグズグズさせて、外に出たときは目を真っ赤にしている。

「いやあ、いい映画だったなあ」

私はそんな彼を見て、プッと噴き出しながらも、こういう人となら一緒に暮らしても楽なのかもしれないと、次第に思うようになっていった。

そういうタイプなので、今度ばかりは父の反応も違うだろうと期待をしたものだが、スタートは同じだった。

初めて康祐を家に呼んだ日、父は玄関に迎えに出るなどということはしなかった。居間に顔を出したのも、彼が家に上がってから一時間くらい経ってからだった。

「お父さん、松下康祐さん」

「松下康祐と申します。茜《あかね》さんと……」と彼が言い終えぬ間に「ああ、はい、こんなばかな娘でいいんですか……。まあ余程の物好きなんだね」と軽く手を上げると、自分の湯飲み茶碗《ぢゃわん》だけ持って、居間を出てしまった。

康祐を駅まで送る途中、夕暮れの坂道で「僕は失格なのかな……」と、彼は肩を落とした。

「大丈夫だって。でも、ごめんね。不愉快な思いをさせて。私がガツンと言っておくから」

「いいよいいよ。そんなことしたら、この先、もっと僕の立場が悪くなる」

その晩、父は焼酎《しょうちゅう》のお湯割りを口にしながら「宮崎出身？　巨人《きょじん》のキャンプ地だってのと知事が有名なことくらいしか知らないような土地で生まれ育ったのか。ふーむ、三男坊か、微妙だな」と、首を捻《ひね》った。

康祐の実家は宮崎でマンゴーをハウス栽培している。男三人兄弟の末っ子で、長兄は家業を継いで、次男は福岡で勤め人をしている。

「あら、お父さん、いつだったかしら？　長嶋《ながしま》さんが監督に復帰したとき、会社の出張にかこつけて巨人のキャンプに行ったでしょう。帰ってきて〝宮崎っていいところだな〟って言ってたじゃない？」と母に突っ込まれた。

「それとこれとは話が別だ」

父は無類の巨人ファンだ。野球のシーズン中、父がその時間に家にいたら、当然、テレビのリモコンの所有権は父のものになる。私が小学生の頃は、家族が別の番組を観ていても、帰宅したら有無を言わさず野球中継に替えられた。観たい裏番組は録画して、翌日、下校してから観る。

「好きな番組を観せてくれないから、みんなと話ができない。私、仲間外れになっちゃう」

「じゃあ、早起きしてビデオを観てから学校に行けばいいだろう」と、父は譲らなかった。子ども相手に随分と大人げない。まぁ、二十年経った今も、それは改善されていないか……。

そんなに巨人が好きならばと「康祐も巨人ファンだよ」と、つい調子のいい嘘をついた。サッカー少年だった彼は、野球よりJリーグに関心がある。

「ごめん、そういうことだから……」と話すと、康祐は巨人について、ネットであれこれ調べ始めた。その努力の甲斐《かい》もあって、今ではすっかり詳しくなった様子だ。

「これ、ドームの巨人阪神《はんしん》戦のチケットなんだけど」と、父に渡すように頼まれたこともある。バックネット裏の席だった。

「どうしたの？」

「実は、プレイガイドに並んで……」

「そんなに気を遣わなくても大丈夫だよ」

きっと、そういう想いは伝わるものと信じていたが、父の口から出た言葉は「ふーん、ご機嫌取りか」だった。なのに、勿論《もちろん》、ドームへは足を運んだ。

ところが後に、康祐の親からマンゴーが届いたときには「親御さんはちゃんとした人らしいから、案外、アイツもいいヤツなのかもなあ」と、頬を緩ませた。

だったら、マンゴーじゃなくチケットをもらったときに、そう言ってくれればいいものを。まったく素直じゃないんだから。それでも、まずはひとつ、外堀が埋まった気がした。

康祐との交際は波瀾《はらん》もなく順調に続き、昨年の春、夜桜の下で求婚された。

父から結婚の承諾をもらう儀式の数日前からどきどきだった。そのときばかりは、単につきあっている相手を紹介するということではない。彼が私を嫁にほしいと頭を下げにくるのだから……。

母には伝えてあったが、父には、康祐がくるとしか言わなかった。もし言ってしまって、家を空けられでもしたら困る。前日の巨人が快勝してくれることを願わずにはいられなかった。

そして迎えた当日。

いつものように、なかなか姿を現さない父を、母と私のふたりがかりで、半ば強引に康祐の前に座らせた。

「お前たち、揃いも揃って騙《だま》し討ちして」

結婚のことを切り出すと、父はそう言って抵抗したが「あんまり他所《よそ》様の息子さんをイジメると、順一《じゅんいち》が同じ目に遭うかもしれませんよ」と母に窘《たしな》められ観念した。

私には三歳離れた弟、順一がいる。太陽光発電をはじめ、次世代エネルギーを開発する研究所に勤めていて、就職と共に家を出て一人暮らしをしている。

康祐は額に汗を浮かべながら「必ずしあわせにします。お嬢さんとの結婚を許してください」と必死に頭を下げた。言葉は型通りだったが、密《ひそ》かにその姿にじんときた。

「好きにしなさい」父はひと言だけ言った。

その後は、出前のお寿司《すし》を黙々と口に運ぶだけでニコリともしなかった。

その日の晩、台所でお皿を洗っている母に話し掛けた。

「許してもらえたのはよかったけど、でも、なんであああいう態度をとるかなあ」

「茜が可愛くて仕方ないのよ」

「えーっ、そうかなあ」

「そりゃあそうよ。娘が可愛くない男親なんて滅多にいないでしょう。それにね、あなたがおなかの中にいたとき、お母さん、中毒症になっちゃって、お医者さんからこのまま出産するのは危険だって言われたのよ。もう、お父さんなんか真っ青な顔しちゃって、それはもう、寝ずに付き添ってくれて心配したんだから。だから、無事に茜が生まれたときは、本当に嬉《うれ》しがったのよ、お父さん。そういう想いが強いから、茜を取られちゃう気がして寂しいんだと思うわ」

勿論、そんな父の気持ちは分かるけど……。


母と夕食を摂《と》って、私はお風呂《ふろ》に入った。

湯船に浸《つ》かりながら天井を見上げると、所々に黒い染みがある。ちょっと我が家の歴史を感じる。

この家は私が幼稚園に上がる前に建てられたものだ。一階には居間と台所と和室、二階には両親の寝室と、私と弟の部屋がある。

三十坪程度の土地だが南面には庭もあって、母が季節の草花を植えて世話をしている。

もうすぐ私はここを離れ、別の場所で康祐と暮らすのだ。

ふと小さかった頃のことを思い出す。

この狭い浴槽に父と弟と一緒に入った。父は手のひらを合わせて水鉄砲を作り、私たち姉弟《きょうだい》の顔目がけてお湯をぴゅっと掛けては笑った。私たちも大騒ぎして、父にお湯を掛け返したものだ。

最後に父と一緒にお風呂に入ったのはいつだったろうか？　小学三年生までだったかしら？　今思えば、もう少し長く一緒に入ってあげてもよかったのかもしれない。ちょっと感傷的になった。

お風呂から上がって居間に戻ると、十時のニュース番組が始まった。

「もうそろそろ、お父さん帰ってくるわね」

母がそう言うのと同時だった。玄関のドアが開く音がした。

「ほーら、ね」母は満足そうに頷《うなず》いた。

これが夫婦の阿吽《あうん》の呼吸なのか。

「おかえり」

「ああ、ただいま」父はどっかりとソファに座った。

「パソコン教室、今日で終わりなんだって？　お父さんにしてみたら頑張ったわね。よく途中で放り出さなかったもんだ。よしよし」

私はそう言って、父の少し薄くなりかけた頭を撫《な》でた。

「こらっ、お前は」と私の手を父が払い除《の》ける。

「でも、これからが本番だ。どうしてもやらなくちゃならないことがある」

「大きなキャンペーンみたいなもの？」

「ああ、初めての大きな仕事だ」父は笑って答えた。

「あなた、おなかはどうなの？」母が父に声を掛ける。

「ペコペコだよ。出掛けに佐《さ》藤《とう》役員にばったり会っちまってさ。あの人はどうでもいい話が長いから。それで会社を出るのが遅くなって慌てて教室に向かったもんだから何も食えなかった」父は立ち上がるとダイニングテーブルへ移動した。

「じゃあ、もう上がるね。おやすみ」

「おやすみ」という両親の声を背中で聞いて階段を上がった。

ベッドに腰掛けて部屋を見回す。

子どもの頃から使っている勉強机……といっても受験が終わった後は化粧台となっていて、大きな鏡が載っている。漫画の本がぎっしり詰まった本棚。ベッドのスプリングも大分甘くなってきている。一人暮らしでもしていたら、インテリアにも凝ったのかもしれない。いずれにしても、新居へは運び込まない家具ばかりだ。ここに置きっ放しにしても困ることもないだろうし。

結婚後の新居は、この家からふた駅離れた場所に部屋を借りる予定だ。松の内が過ぎたら契約する段取りになっている。

「どうせなら近所に住めばよかったのに」と母はがっかりした。

本当はスープの冷めない距離に部屋を借りたかったのだが、たまたま私の気に入る物件がなかったのだ。

「自転車でも行き来できるし、将来的には近くの分譲マンションを考えるつもりだから」

子どもができるまでは共働きをするつもりでいる。子どもができたら母が近くにいてくれた方が何かと都合がいい。よく聞く話だ。

「ちゃっかりしてるわね」

そう呆《あき》れてはみせるものの、母は満更でもない様子だ。

そんなことを考えながら、身の回りの小物を片付け始めた。こういうことはひと度始めてしまうと、意外に途中で止められなくなる。

遂には何年も手つかずにしておいた引き出しの中まで覗《のぞ》いた。使い切ったマニキュアの瓶、同僚からお土産でもらったはいいが、あまり気に入らずに未使用のままのリップスティック。なぜかコンビニのレシート、クリップに輪ゴム。奥の方には元カレにもらったパールのピアスが片方だけ。それと使い込んだトランプ。なんでもかんでも入れたままにしてあった。本当にとっておきたい物と捨てるべき物がごっちゃになっている。

夜中に一体何をしているんだろう……私は可笑《おか》しくなってひとり笑いをした。

すると……。

ハックシュン、ハックシュン、ああ……。

明らかに父がくしゃみをしたと分かる音が響いた。

時計を見ると午前一時を回っていた。こんな時間なのに……。

ドアを開けて廊下を覗くと、向かいの弟の部屋から灯《あか》りが漏れている。まだ、起きてるんだ。

弟の部屋を、最近は父がパソコン部屋として使っている。

ドアをノックして「お父さん」と声をかけた。

「こら、勝手に入るんじゃない」と、父はムッとした顔をする。

明らかに背中でモニターを隠した。

「何、隠してんの？　もしかして、エッチサイトとか観てたりして」

「ば、ばかなことを言うな」

「ま、お父さんも男だから、別に観てても構わないんだけど」

「だから違うって。で、何だ、用か？」

「別に用事はないけど。あんまり根を詰めない方がいいわよ、年なんだから」

「ばかにするな。どうしても間に合わせたいことがあるんだ」

「ほどほどにして寝てよ」

「ああ、分かってる。お前こそ、さっさと寝なさい」

「風邪でもひいて、折角の温泉旅行が台無しになるなんて厭《いや》だからね」

正月の二日から、一泊の予定で箱根《はこね》に家族旅行に行くことになっている。

「ああ、分かった、分かった」父は私を追い払うように手を振った。

暮れの三十日には弟が戻ってきて、我が家も久し振りに家族が揃った。

これまでと同じように、大晦日《おおみそか》は、紅白歌合戦を観た後、年越し蕎麦《そば》を食べ、元日には母と私が作ったおせちを食べてから、近所の八幡宮《はちまんぐう》へ初詣《はつもうで》に出掛けた。

二日の午後、私たち家族は箱根に向かった。

この旅行は私が計画したもので「宿泊代は私が持つわよ」と大見得をきった。かなりの椀飯《おうばん》振る舞いだが、これまでの両親への感謝のつもりだ。

弟を運転手に仕立てて、車で箱根に向かう。

「帰ってきたら、早速こき使われる訳?」弟は不満らしいが、今回の旅のスポンサーは私だ。

「だったら、ひとり寂しく留守番でもしとけば」と言ってやった。

東名《とうめい》高速から小田原厚木《おだわらあつぎ》道路を経由して、箱根新道を進む。葉の落ちた周りの木々の隙間から早川《はやかわ》の流れが見えた。

大分、外の温度が下がったのだろう。息で窓が曇った。小さい頃、よくそうしたように、私は白くなったガラスに、きゅっと音を立てながら指先でハートマークを描いた。

「康祐くんも誘えばよかったかしらね」

後部座席に父と並んで座った母が助手席の私に話し掛ける。

「それじゃあ、家族水入らずにならないだろう。大体、この車に五人乗るのはキツい」父がすかさず口を挟む。

「康祐は宮崎に戻ったし、向こうは向こうで水入らずなんだから」

来年の正月には、私も嫁として彼の実家に顔を出すことになるだろう。

康祐の両親も兄たちも仲がよく、みな彼と同じように穏やかな人たちだ。日差しがやさしい土地柄で生まれ育つと、性格も日差しのようになるのかもしれない。

「それにしてもな、茜と旅行するなんていつ以来だ？」父が言う。

母とは、私が就職してから韓国やハワイに出掛けたことはある。だが、私や弟が中学に上がり、部活や受験が始まってからは、一家四人揃って旅行に出たことは一度もなかった。

新道から芦ノ湖《あしのこ》方面へ抜けると、宿の看板があった。看板に示された矢印を辿《たど》って狭い坂道を上ると、竹林に囲まれた建物が見えてきた。

この旅館は、離れ風の造りが人気を呼んで、なかなか予約の取れない宿として有名だったが、運良くキャンセルが出たのだ。

「よく予約できたな」父が感心した。

「日頃の行いのよさよね」私は笑って返した。

渡り廊下を通り離れへ案内された。十畳と八畳の続き間のある広い部屋だ。高台に建つせいで、濡《ぬ》れ縁から真っ白な雪を頂いた富士山が見える。

「さて早速、ひとっ風呂《ぷろ》浴びるとするか」浴衣《ゆかた》にいち早く着替えた父が言う。

「いいねえ。運転の疲れを流すか」と、弟が伸びをして答えた。

本館にあるお風呂から戻って、母が家から持ってきたみかんを食べる。

「まだ、メシまで時間があるよなあ。ちょっと暇だな」と、弟があくびをした。

「はいはい。そんなこともあるかと思って」私は自分のバッグの中を探った。

「じゃーん、トランプ」と、私はそれをみんなに見せた。

「昔、お正月にみんなで七並べやったよね」

「ああ、したなあ」と父が頷《うなず》く。

「どうよ、ひと勝負」

私の提案に家族でテーブルを囲む。

「負けたらシッペだからね」

「よしっ」

我が家の親は子どもも相手に手を抜かなかった。父も母も勝ちにくる。

「昔みたいに、こてんぱんにやっつけてやるからな」父が腕捲《うでまく》りする。

「いつまでも昔のままだと思わないでよ」私が言い返す。

徐々にみんなエンジンがかかってきて夢中になる。

「誰よ、ダイヤの8持ってんの」

「へへん、そうは問屋が卸さないって」

「お母さんはパスしまーす」

「おいおい、それってズルいって」

小さかった頃にタイムスリップしたような錯覚を起こしそうだ。

六時丁度、まるで扉の前でずっと待機していたように、お部屋係の女性が夕食の準備に現れた。

結局、父が三回、母と弟が二回のシッペをされて、手首を赤く腫《は》らした。私は無傷に終わった。

私たちは浴衣の乱れを直して座布団に座ると、ビールを注ぎ合って乾杯をした。それから手際よく運ばれてくる会席料理に舌鼓を打った。

上品に盛りつけられたぶり大根を口にして「美味《おい》しい」と私が言うと「そうか、こういう味が分かるようになったか」と、父が尋ねてきた。

「ちっちゃかったときは、どこに連れて行っても、お前たちに〝カレーっ〟〝ハンバーグっ〟って言われてがっかりしたもんだけどなあ」

父が言い出したそんな話が誘い水になって、話題が想い出話になった。

「茜は大きいプールは怖がって入らなかったくせに、ビニールのちっちゃいプールで水遊びするのは大好きだったわねえ」母が懐かしむ。

「へー、この姉貴がそうだったんだ。今じゃ信じらんないなあ」弟が大袈裟《おおげさ》に驚く。

「でも、水色にピンクの水玉の水着姿が可愛かったわ」と、母が言うと「いや、それは違う。水色の地に白の水玉だ」と父が口を挟む。

「ええっ、そうでしたっけ?」

「ああ、そうだ。間違いない」

「そんな気弱な子が、あっという間におてんば娘に変身して、男の子とは取っ組み合いのけんかしてくるし」と母が嘆く。

「おまけに鼻血まで出して」と父が追い撃ちをかける。

「ぶっ、さすが姉貴、本領発揮だな」と弟が高笑いする。

「ええっ、鼻血なんて嘘よ」

クラスの男子とけんかした記憶はある。でも鼻血まで出した覚えはない。

「事実だから仕方ない」父がしたり顔をする。

昔話は、デザートのメロンを食べ終えても続いた。

「大体、茜はガサツというかおっちょこちょいというか、そういうところがあったよなあ。五歳の誕生日のとき、身体を揺すってハッピーバースデーを歌いながら手を叩《たた》いたまではよかったが、大きく手を振り上げた反動でケーキを床に落として大泣きした」

「あら、そんなことありましたっけ？　お父さん、昔の話はよく覚えてるのね。昨日今日のことはすぐ忘れちゃうくせに」と母が笑いながら首を傾げた。確かに、今、目の前で起こっている出来事を見ているような確信に満ちた口ぶりだ。

「きっと年のせいよ。ほら、よく言うじゃない、年取ると昔話ばかりするようになるって」私はにやっと笑った。

「失礼なヤツらだなあ。お父さんは記憶力がいいんだ」

ふと気づくと、アルコールに弱い弟は座布団を枕に、大きく口を開けて眠っている。

「でもさ、私の昔話より、こいつに嫁がくるかどうかの方が大問題じゃない？」と私が言うと、両親は苦笑いだ。

「あ、そうだ。ねえ、お父さん、一緒にお風呂入ってあげようか？　それでお湯の掛けっことかしちゃう？」

宿には貸し切りの家族風呂がある。

「ば、ばか言うな」酔って赤い父の顔が、一層紅潮する。

「嬉《うれ》しいくせに、照れちゃって」とからかってから「じゃあさ、肩揉《も》んであげる」と、父の背後に回った。

「お前、どんな魂胆があるんだ？」

「別に、何も。ただ……ありがとうね、康祐とのこと許してくれて」

「許すも何も……」と父は小さく肩を落とした。急に父の背中が小さく感じた。

「あれーっ、この分じゃ、披露宴でボロボロ泣いたりするんじゃないの」と、努めて明るく言うと「誰が泣くか。感謝の手紙を読まれても、花束をもらっても、お父さんは泣かないよ。泣いてたまるか」と、すぐにいつもの父に戻った。

「さて、折角だから、寝る前にもう一度温泉に浸《つ》かってくるか。今度は露天風呂だな」父がどっこいしょと腰を上げる。

「じゃあ、私も」

母と私も腰を上げた。

「順、あんたどうする？」弟の背中を爪先《つまさき》で突《つつ》くと「オレは後で入るから」と寝ぼけたまま、またゴロ寝を決め込んだ。

仄《ほの》かな灯りが灯《とも》った露天風呂に浸かると、竹林を抜けてくる冷たい風が顔に当たって心地いい。

「茜が女の子を産んだら、お父さん、メロメロになっちゃいそうね」

「その可能性はかなりある。そして孫娘のボーイフレンドにまでケチをつけたりして」

立ち上る白い湯気の向こうに、小さな女の子を膝《ひざ》に乗せて目尻《めじり》を下げる父の姿が浮かんだ。

「先に戻ってるわよ」

ドライヤーを使っている私を残して、母が大きな暖簾《のれん》を潜《くぐ》って脱衣所から出て行った。

部屋に戻ろうとすると、本館のロビーのソファに腰掛けながら父と母が話し込んでいる。大きな窓ガラス越しに、ライトアップされた池のある庭園が美しく浮かび上がっている。そっと背後から近づいて、わっと脅かしてやろうといたずらっ子のようなことを思いついた。

抜き足差し足で近づくと、両親の声が聞こえた。

「茜、本当に嫁に行くんだなぁ」しみじみとした口調で父が呟《つぶや》く。

「しょうがないじゃないですか。いつまでも家にいられるよりマシですよ。でも、いい相手じゃないですか。康祐くんはやさしい子ですよ」

「うん、ああ、まあな。いやいや、そうでもないだろう。やさしさなんて頼りなさの裏返しに過ぎない」

「また、そんなこと言って。茜がちょっと気が強いから、足して割れば丁度いいんですよ。

夫婦なんてそんなもんでしょう?」

「まあ、そうだけどな……。ああ、おふくろにも見せてやりたかった、アイツの花嫁姿を」

父の母、つまり祖母は五年前に亡くなった。

祖父は父が中学生のときに病で他界し、その後祖母が武蔵小杉《むさしこすぎ》でお好み焼き屋さんを開いて、父と叔父《おじ》を女手ひとつで育てあげたのだと聞く。

晩年は、長年の立ち仕事がたたって腰を患い、私が高校に入る年に店を畳んだ。祖母の家に行くと、お好み焼きと焼きそばを出してくれたものだった。時々、ふともう一度、あの味を味わってみたいと思うこともある。

「家族なんてものは、足したり引いたり変化するもんなんだなあ」

「うちもこれからふたりきりの生活になっちゃいますね。家の中が広く感じるんでしょうね。寂しくなりますよ、きっと」

「ああ、茜は昔からお喋《しゃべ》りで……。もっとも、ひと言多いのがなんだが、でも、お陰で家の中が賑《にぎ》やかだったからな」

ちょっとだけ結婚することを後悔する気分になる。私は後退《あとずさ》りをしてその場を離れ、遠回りして部屋に戻った。

並んで敷かれた布団に親子四人で休んだ。〝この家族〟と一緒に寝るのもこれが最後なのかもしれない。なかなか寝付けなかったのは、父のイビキが煩《うるさ》いせいだけではなかった。

挙式まで一週間と迫った週末。

「札幌の長谷川《はせがわ》に頼んで、タラバガニを送ってもらった。午後には届くらしい。よーし、今日はカニ鍋《なべ》だ」と、父が上機嫌で言った。

長谷川さんは父の直属の部下だった人で、以前、何度かうちにもやってきたことがあるので面識はある。去年、札幌支社に転勤になった。それをいいことに父は、何かと連絡を入れ、長谷川さんに北海道の味覚を送らせている。

「あんまりあれこれ頼んだら、長谷川さんに迷惑がかかるんじゃないですか」と母が言うと「いいんだ、ヤツにはさんざん飲ませてやったんだから。それに代金は払うんだしな。手配くらいやらせても罰は当たらない」と、父は意に介さない様子だ。

長谷川さんにとっては迷惑な話なのだろうが、家族、いいえ私としては、美味しいものが食べられるのは嬉しい限りだ。

「仕方ない、康祐くんにも食べさせてやるか。茜、康祐くんを呼びなさい。偽物じゃない本タラバをご馳走《ちそう》するって」

妙に父の顔がイキイキとしていて、却《かえ》って不気味だ。

「妙に愛想がいいわねえ、お父さん、何、企《たくら》んでるの？」

「だって、カニ、食いたいだろう？」

「うん、まあね。今日は二次会の打ち合わせがあるから、そのままうちに寄ってもらうわ」

「おお、そうしなさい」

夕方、康祐を伴って帰宅した。

「おじゃまします。あの、これ宮崎の麦焼酎なんですけど」と康祐は手土産を父に渡した。

「おお、すまんね」

父が康祐に礼を言った……。いつもと違う父の態度に調子が狂う。

「よし、さあ、食べるぞ。さあ、君も座りなさい」

康祐は弟の椅子に腰掛けて私と並んだ。

ダイニングテーブルの上でカニの脚が赤くなっている。部屋中に鍋の匂いが充満した。

それはどこかしあわせな匂いがする。

空のグラスを手にした父が「ううん」と咳払《せきばら》いをする。

「あ、すみません」康祐が慌ててビール瓶に手を伸ばす。

グラスに注がれる泡が溢《あふ》れてくる。

「ほら、君も」

父が康祐からビール瓶を取ると彼のグラスに注ぎ返す。

「すみません。いただきます」

まだ緊張の解《ほぐ》れない康祐は口に運んだグラスの縁を前歯にコチンとぶつけた。

鍋奉行は昔から父の役目だ。頃合いを見計らいながら、カニや野菜を鍋に入れる。それを突きながら、康祐の仕事の調子はどうだとか、景気はどうだとか、他愛《たわい》ないことを話した。

「康祐くん、トランプをするときは気をつけろ。茜は人のカードを盗み見するのが得意だ。そして勝負に勝つと、必ずご褒美をねだる」突然、父が話題を変えた。

「ええっ、それっていつの話よ」

「お前が小学二年生のお正月だ」

箱根での想い出話の続きが始まったようだ。ただし、今回は酔いの回った父の独演会だ。

「この子は、こう見えて意外と頑張り屋だ。親を喜ばせようと思って、前日の練習で転んで肋骨《ろっこつ》にヒビが入っていても運動会のかけっこを休まなかった」

「昔は天然パーマだったから、髪先がくるくるってなってて可愛かったんだ」

父の話はあちこちにとんだが、康祐は「そうだったんですか」と相槌《あいづち》を入れて応《こた》えた。

一時間も経つと、殻入れはカニの残骸《ざんがい》で山積みになった。

「よし、締めは雑炊だな」

雑炊はカニの旨味《うまみ》がたっぷりと出ていて美味《おい》しかった。

最後に父は、雑炊のご飯を一粒も残さぬように、私と康祐に取り分けた。

「もう、おなかいっぱい」

「そうだね」

私と康祐がそう言って箸《はし》を置くと、父は満足そうに何度か頷《うなず》いて「お母さん、焼酎のお湯割りを頼む」と席を立った。

「まだ飲むの？」

「飲まなきゃ言えないこともある。さあ、お前たちもこっちに」と、父は居間に移った。

私と康祐は父と向かい合って座った。

「まぁ、なんだな。ちょっとお前たちに言っておきたいことがある」

酔って赤い顔をした父がゆっくりと切り出した。

折角いい雰囲気なんだから、ヘンなことは言い出さないでよ、と心の中で祈った。

「最近の親は〝何かあったら我慢せずに、いつでも戻ってこい〟と言うのが流行らしいが、茜、これだけの思いを親にさせているんだ、二度と敷居を跨《また》ぐことは許さない。……と、まあ、そんなつもりで行きなさい。で、康祐くん、分かっていると思うが、茜を泣かすようなことがあったら、私に殺される。……と、まあ、そんなつもりでこの子を奪って行きなさい。いいか？」

「はい」と康祐が答えた。

「そうか。そういう覚悟があるなら……。ちょっと待ってなさい」

父はそう言うと居間を離れて階段を上って行った。

「えっ、何？」

私と康祐は顔を見合わせた。

居間に戻ってきた父は手提げ袋を握っていた。

「これを持って行きなさい」

父は、そう言うと私と彼の間に置いた。

覗《のぞ》いた紙袋の中には透明なプラスティックケースがぎっしり並んでいた。

「何、これ？」

「D、V、D」父はひと言ひと言区切りながら、誇らしげに言った。

「どうしたの？」

「まあ、そのなんだよ。撮り溜《た》めたままになってたお前のビデオをまとめたんだ」

その中の一枚を手にすると、満開の桜をバックに母と並んで赤いランドセルを背負った私の写真がケースにきれいに収まっていた。写真には、年月日と〝小学校入学から三年生運動会〟と文字が入っている。

他のDVDを手にすると〝夏休み家族旅行〟や〝成人式〟といったタイトルがつけられ

ていた。

「これ、お父さんが作ったの？」

父は、うんと頷いた。

「他所様《よそ》のうちのことは分からないが、ビデオは撮ってしまうと、改めて観るなんてことはしないもんだな」

父が言うように、映したその場で再生してチェックはするものの、鑑賞会などしたことがない。

「それじゃあ、家族の想い出が粗末に扱われているようでマズいと思って。お前の結婚が決まってから、こっそり観直してみたんだよ。で、そのとき、家を出て行くお前には、この想い出も一緒に持たせてあげようと考えついたんだ。しかし、ほら、最近はビデオテープじゃなくなっちまったから。そういうことに詳しい部下に訊《き》いたら、ビデオテープっていうのは保管の仕方が悪いと劣化するそうじゃないか。下手をするとカビが生えてだめになることもあるとかで。ＤＶＤに落とせばいいんですよって教えられてな」

「だったら、業者に頼めばよかったのに。今ね、ダビングのサービスってあるのよ」

「そうなんだってな。でも、業者はコメントまでは考えてくれんだろう。それにだ、娘との想い出が映ったビデオを他人《たにん》任せにするなんて、そんないいかげんなことはできない。だから自分でやることにした」

「そのために、もしかしてパソコン教室に通ったの？」

「正解っ」父は照れ臭そうに笑った。

「お陰で、とんだ出費だ。だけど映像処理なんて小難しいことは、誰かに教えてでももらわなきゃできるはずないだろう。まあ、苦労したぞ」

母が私の後ろから覗き込んで「あら、上手にできてるわね」と感心する。

「いいや、だめだなぁ。お父さんにはセンスがない。もっと上手《うま》く作れると思ったんだが……。そこはご愛嬌《あいきょう》だ。努力に免じて許せ」

そうだったのか。箱根に行ったとき、昔のことをはっきりと言い切れたのは、編集しながらビデオを観ていたからだったんだ。

「お母さん、知ってたの？」

「知らないわよ」母は顔の前で手を振った。

「お母さんなんか口が軽いから、話したらすぐお前にバレる」

「まぁ、失礼ね。私は口は堅いですよ」母が鼻の辺りに皺《しわ》を寄せる。

「写真のネガもデジカメのデータも全部入れておいたからな。お前たちに子どもができたら、見せてやるといい。お父さんは、自分の子どもの頃の写真とかあんまりないから、茜たちに見せてやれなかったし……」

一瞬、父の表情が曇った。

「いいか、康祐くん。出張や残業が多くて、普段の様子を見られない私のために、家内が撮ってくれたものもたくさんある。君も子どもができたら、茜に撮ってもらえ。特別な日や行事には立ち会えても、男っていうのはなかなか普段の子どもの成長を見られない。ただ、その普通の暮らしの中に、ささやかなしあわせがあるってことを忘れちゃいけない。これからは、私や家内が茜にレンズを向けることも少なくなる。その分、君がしっかり茜のことを見てやってくれ……」

隣から洟《はな》を啜《すす》る音が聞こえた。目を向けると、康祐がぽろぽろと涙をこぼしていた。

「こらこら、君が先に泣いてどうする。そういうところが頼りないって不安になるんだよ」

「あ、すみません」

「大体、泣きたいのは私の方なんだからな。ほら、茜、康祐くんにティッシュ」

そう言う父の目尻《めじり》にうっすらと涙が溜まっている。

「康祐くん、私はそう威張れるような大した親ではない。でも、それなりに一生懸命、この子に接してきた。この中には君の知らない茜がいる。だけど、これを観れば、私たち夫婦がこの子をどれだけ大事にしてきたかは分かってもらえるはずだ。これからは君が中心になって、想い出を重ねていってくれ。バトンは渡したからな。頼んだぞ」

「はい、ありがとうございます……」康祐の肩の震えが止まらない。

父が渡してくれたのは単なる過去の映像ではない。父の愛情がいっぱいつまった心なのだ。

「お、お父さん……」それ以上、言葉にできなかった。

父はきちんと背筋を伸ばして姿勢を正すと、一度咳払《せきばら》いをした。

「本来はバージンロードでバトンタッチするもんだが、本日ただいまをもって、康祐くん、君に想い出を引き継いでもらう。以上」

噛み合わせ

まいった。歯が痛い。

クライアントへの最終プレゼンの確認会議だというのに、ズキズキとかシンシンとか奥歯辺りが痛い。昨夜《ゆうべ》、お風呂《ふろ》に浸《つ》かって身体が温まった後から痛みが酷《ひど》くなった。夜と朝、鎮痛剤を二錠ずつ飲んで、なんとか凌《しの》いでみたものの再び疼《うず》き出した。

「で、吉岡の意見はどうなんだ？」

局次長の横山が怪訝《けげん》そうな顔で私に意見を求めてきた。会議に出席しているメンバーが一斉に視線を送ってくる。

私はスクリーンに映し出されるグラフを眺めながら、右頰を手のひらで押さえていた。きっとしかめっ面になっていたのだろう。その姿がプレゼン内容に不満でもあるように思えたに違いない。

「えええ、その、今回はその……」

「どうした？」

「いや、実は歯が痛くて……」

「なんだ、歯か」と、横山は大声で笑った。

「止めてください、そんな大声で笑うの。もう、響くんですから」

「いやいや、すまん。自信なさそうな顔してるから、つい心配になったぞ。そうか、歯か。さすがの吉岡も歯痛にはかなわんか」

他の者は、あからさまに笑うことは堪《こら》えたようだが、クスッと笑う声があちこちから聞こえた。

私は赤坂見附《あかさかみつけ》にある広告代理店のクリエイティブ局で働いている。入社して干支《えと》がひと回りした。三十代半ばになっても、まさか会社勤めを続けているなんて……。私の人生設計にはそんな予定はなかったはずなのに、ふと気づけば〝チーフ〟と部下たちから呼ばれるポジションにまでなってしまった。

「結婚して、さっさとこの業界から足を洗いたいの」と言うと、同僚の誰しもが「無理でしょ。だって吉岡さん、仕事好きだもの。それにもったいない」と真顔で答える。

確かに仕事は嫌いではない。任せられれば期待以上のことはやってのけたいと努力する。でも、寿退社こそ私の憧《あこが》れ。多少甘いかもしれないが、稼ぎは旦那《だんな》に任せて、私は適当にラクチンな生活をしたいのだ。それがどうだろう、今のこの状態は。辞めたい私が居残り、不況の煽《あお》りを受け、辞めたくない人が会社を去る。世の中は理不尽なことでいっぱいだ。

「頼むぞ、吉岡。夏のキャンペーンのデキによっちゃ、次回から新橋《しんばし》にもっていかれちまうからな」

明日《あす》プレゼンを行う大手食品会社に、ライバル会社が猛然とアプローチを仕掛けているという情報が入っている。

「ウカウカなんてしてられんぞ。ただでさえ、利益が落ちてるんだ、正念場だ。ここはひとつ踏ん張らないとな」

普段はくだらないオヤジギャグを連発するような横山が、きりっとした表情を見せる。局次長自身、長く担当してきたクライアントだけに相当な危機感があるに違いない。

「分かってます」

と、答えてはみたものの、予算は大幅に削られ、商品に付いたシールを集めると、アイドルのライヴチケットが当たるという手垢《てあか》の付いた企画内容では、どれほどの効果があるのかいささか疑問だ。でも、私が不安そうな顔をすれば、局次長が気に掛ける。見た目は豪快な横山だが、一皮剝《む》けば弱気の虫でいっぱいなのだ。

「えーと、それじゃあね。先方の園田《そのだ》課長は老眼の気があるので資料を見るときメガネを掛けたり外したり頻繁に繰り返します。内容と関係ないことでイライラさせるのは得策ではないので、重要なポイントを赤にするのはいいんだけど、もっと大きな文字に変えて。それから、グラフは棒グラフじゃなくて、円グラフに。それから……」

私は奥歯の痛みを我慢して、企画書の変更ポイントを指摘した。

会議室を出て、デスクに戻るとそのまま突っ伏した。

「ああ、この歯なんとかしてっ」と叫ぶ。

「チーフ、大丈夫ですか？」

顔を上げると、入社二年目の木原《きはら》がお茶を運んできた。アシスタント役としては気を利かせたつもりなのだろうが、唾《つば》も満足に飲み込めないというのに、熱いお茶はあるまい。丸顔の童顔のせいで、セーラー服でも着せたら女子高生に見えるかもしれない。だからという訳ではないが、こういう些細《ささい》な空気の読めなさ加減が、人を少しイラッとさせる。

「大丈夫じゃなーい、はあ……」

「薬飲みます？」

私は首をゆっくり振って「飲んだけど効かない」と言い返した。

こんなことなら、すぐにでも歯医者に行っておけばよかった。

バレンタインデーの翌日、同僚と居酒屋で飲んでいたときだった。イカの姿焼きを食べていたら、何かカチンと硬い物を齧《かじ》った感触がした。

「うん？」

私は口を手で押さえ、同僚に背を向けた。舌先でその異物を選《よ》り出すと、手のひらに広げた紙ナプキンの上に吐き出した。

「ええ、なに？」

　薄暗い店の灯《あか》りで見てみると、それはヒトデのような形をした銀色の金属だった。一瞬、厨房《ちゅうぼう》で異物が交じったんだと思い「ちょっと勘弁してよね」と怒りそうになったが、よくよく目を凝らして見ると別のものだった。

「あ、これって歯の詰め物？」

　舌先で右上の奥歯を探ると、穴が開いているようだった。

「やっぱり……」

　以前から、たまにズキンとするなと思っていたが、我慢できないほどの痛みではなかった。スケジュールも詰まっていたし、まあそのうち歯医者に行こうとお気楽に構えていたら、この有様だ。

　普段の私は几帳面《きちょうめん》な方だし、物事の段取りはきちっとやらないと気が済まない。ただし、歯医者に関しては愚図《ぐず》だ。いや、そもそも好きになれない。麻酔の注射もメスを入れられるのも我慢できる。ただ、ドリルで削られるのが、どうにも生理的に合わない。

「すぐ歯医者さんに行った方がいいですよ」木原が顔を覗《のぞ》き込む。

「あ、そうね。明日のプレゼンで無様なことやれないものね」

　と、答えたものの、以前通っていた病院は地元の自由《じゆう》が丘《おか》にある。今からそこへ行くのも億劫《おっくう》、というか時間的に効率がよくない。夕方からの打ち合わせも入っている。

「木原ちゃん、会社の近場にいい歯医者さんってない？」

「歯医者さんですか……。あ、そうだ。先月、下村《しもむら》先輩が、いい歯医者さんを見つけたって言ってました」

マーケティング局の下村朋子《ともこ》。木原の大学の三年先輩で、有名な元プロ野球選手の姪《めい》っ子ということらしく、コネ入社組だという噂だ。夏場、男受けはするだろうが、その服はどうかな、と眉《まゆ》をひそめたくなるような襟元の大きく開いた格好で出社する子だ。それに香水をつけすぎだ。エレベータで乗り合わせると、匂いがキックくて酔いそうになる。

「ほら、もつ鍋《なべ》屋さんの向かいのビル、あそこです。治療中、全然痛くなかったって、そんなことは初めてだって驚いてました。あ、それにイケメンの先生らしいですよ」

下村らしいチェックの仕方だ。大方「先生、こっちの歯も痛いーっ」とか猫なで声でも出してきたのだろう。痛みがあっても、そういう余計な想像をしてしまう。

確かに平時ならイケメンは重要な要素だが、この際どうでもいい。腕のよさが最優先だ。

「ごめん、彼女に連絡して、その歯医者の電話番号訊《き》いてもらえない？」

「はい、いますぐ」

木原はデスクの電話を取った。愛想はいい。それくらいの取り柄がなくちゃ使い物にならない。

三分程、右頰に手を当てながら待っていると、木原が私のデスクに戻ってきた。

「はい、チーフ」と、彼女は電話番号を書いたメモを私に差し出した。頼まなかったので仕方ないとは思うが「連絡してみましょうか」くらいのことを言えないものか。痛みのせいか、いつもより彼女に対しての見方が厳しくなる。

私は携帯電話から、その番号にコールした。

――はい。赤坂南デンタルクリニックでございます。

可愛らしい女性の声が聞こえてきた。二十代前半というところか。

――すみません、治療をお願いしたいんですが。

――はい。では……。

――ごめんなさい、すぐに診ていただきたいんです。もう限界で。

――はぁ……。

腕時計に目を落とすと、正午になろうとしていた。

――午後の診療は三時からなのですが、本日は予約でいっぱいでして……。

それはそうだろう。普通なら「分かりました」と引き下がり、別の手立てを考えるところだ。でも、その後の予定もある。ちょっと食い下がってみる。

――そこをどうにか、お願いできませんか？

受話器の向こうの声は明らかに困った様子で「ええ」と、少し押し黙った。

――少々、お待ちください。院長に訊いてみますので。

保留の音楽が流れた。

一分いや二分待った。

——お待たせいたしました。昼休み中ですが、一時にいらしていただければ大丈夫だということですので、いかがでしょう?

いかがも何もない。勿論《もちろん》「伺います」と答えた。


おなかは空《す》いていたが昼食どころではない。左の奥歯を使って、そっと嚙《か》めばなんとか食べられそうだが、やはり気分が乗らない。

バッグから携帯用のハブラシセットを取り出すと、洗面室に入ってブラッシングした。外部の人と会うことも多い。歯医者は苦手でも、いや苦手だからこそ、これくらいのケアはマメにする。もっともケアというより、エチケットの問題だ。

「次の打ち合わせまでには戻って来るつもりだから」と、木原に伝えて会社を出た。

三月ともなると、日差しのある日中は寒さも大分弱まり、スプリングコートを揺らす風に、仄《ほの》かな春の匂いがする。

「えーと、もつ鍋屋の向かいの……。あった、五階ね」

シックなベージュ色のタイルが貼られたビルだった。案内板の医院名の下に〝歯科矯正・インプラント〟という文字があった。

エレベータを使って五階へ。ドアが開くと正面に透明なガラスで仕切られた受付が見えた。カウンターの中にピンクのナース服を着た女性が座っていた。電話に出た子とは違うのだろう。

自動ドアの中に入ると、私は軽く会釈した。

「先程、予約した吉岡ですが」

「はい。それでは、この用紙に必要事項を記入してください。すぐにお呼びいたしますので」

その目尻《めじり》の皺《しわ》や肌の張り具合からすると、三十は越えている。そんな推測をしながら、私は待合室のソファに座り、用紙に氏名や住所を書き込んだ。

「吉岡さん、こちらへどうぞ」

名前を呼ばれ、彼女の後に続く。

明るい中廊下の左右にガラスで仕切られた治療室が四つあり、治療台や器具の設備は歯科医院そのもの。

「先にレントゲンを撮らせていただきます。お荷物はこちらでお預かりします」

そう促されて、バッグとコートを彼女に渡した。

レントゲン撮影をして、治療室に案内された。

「治療台にお掛けになってください」

彼女は紙エプロンを私の首回りに巻くと「このままで少々お待ちください」と部屋を出た。

目だけ動かして室内を見渡す。壁も天井も白、天井からは液晶のモニターが下がってい て、おそらく南の島なのだろう、珊瑚《さんご》が揺れる澄んだ海の底を、大きなウミガメと赤や青の小さな魚の群れが泳ぐ様を映し出していた。

両肩を少し上下させた後、大きく深呼吸する。不思議なもので、治療室に入ったときから痛みが少し引いた。これでなんとかなると安堵《あんど》したせいだろう。つくづく、病は気からなのだと思った。

「院長、私たち食事に行ってきます」という声が聞こえた。

そうか、昼休みの時間を私が奪ってしまったのだと、少しばかり申し訳なく思う。

「お待たせしました」

背後から男の人の声が聞こえた。噂のイケメン医師の登場か。

その人影は治療台の脇にある椅子に座った。ブルーの服のおなかの辺りから、ゆっくり目線を上げて「よろしくお願い……」と、医師の顔を見た瞬間。

「えええっ」

私は場もわきまえず、背もたれから上体を起こすと、素っ頓狂《とんきょう》な声を上げてしまった。

そんな私と同じように、医師も「な、なんでっ」と驚きの声を上げた。

私の前に現れたのは、五年前に私を振った男、福山雄平《ゆうへい》だった。

「なんでって、それはこっちの台詞《せりふ》よ」

「いやいや、ここは僕の医院だ、僕がいても何もおかしくないだろう」

「でも、あなたって開業してなかったでしょう」

私の知っている福山は、大学病院で診療をしながら、曜日によって先輩医師の医院を手伝っていた。

「去年の秋から、ここで始めたんだ」

と、いうことは、ほとんど目と鼻の先で仕事をしていたということだ。

驚いて「はあーん」と言い放った瞬間、頭を背もたれにぶつけ、その反動で奥歯が嚙み合わさった。「痛っ」私は片目をつぶりながら右頰を手で押さえた。

「おいおい、大丈夫か？」

「大丈夫じゃないから、ここに来てるんでしょっ」

「そりゃあ、そうだな。ま、とりあえず、昔話はひとまずおいといて、まずは医者として仕事をさせてくれないかな」

言いたいことなら山ほどある。でも、痛みをなんとかすることが先決だ。

「あ、う、うん、そうね」

彼はマスクを着けると、レントゲン写真を見ながら「うんうん」と軽く頷《うなず》いた。

「はい、椅子を倒すよ」

背もたれがゆっくりと後方へ傾いた。

「じゃあ、口の中、見せてもらうよ。はい、口を開けて」彼の口調はお医者さんのものに変わった。

顔の正面にライトが近づいた。口を大きく開けて目を閉じる。ゴム手袋の指先で口を横に引っ張られる。頭の天辺《てっぺん》に彼の身体がくっ付いた。

「ああ、うん、はいはい」彼の独り言が聞こえる。目を閉じているとその分、耳が敏感に働く。

「これ、痛いかな？」と、彼が何かの器具で歯をコンコンと叩《たた》いた。

「痛っ」ズキンと痛みが頭の方まで響いた。

「痛いよねえ」

当たり前のことを訊《き》くんじゃない。私が痛がるのを楽しんでいるの。つい、そう思いたくなる。

「はい、一度起こすよ。口を漱《すす》いで」

起こした身体を捻《ひね》りながら、水の入った紙コップに手を伸ばした。

「詰め物が取れちゃったんだね。いつだったかな？」

「二週間……もう一ヶ月くらい前。仕事が忙しかったの、それに……」

「だめだねえ、すぐに診てもらわないと。虫歯が進んじゃって神経に菌が入っちゃったんだよ。歯茎に腫《は》れもあるし、これじゃあ、痛いはずだ」

「明日《あした》、大事なプレゼンがあるの」

「相変わらず忙しそうだね」

「お陰さまで、仕事以外にやることがなくって……」

「いいんじゃないの、このご時世に仕事があるなんて」

そういうことじゃないでしょう。イヤミなの、イヤミ。大体、誰のせいで仕事漬けの毎日になってると思うのよ。

「じゃあ、今日は虫歯の部分を削って、それから神経を抜いたら、その痕《あと》を消毒しながら仮詰めまでするとしようか」

「この際、何でもいいからお願いするわ」

「はいはい、分かりました。じゃあ、始めよう」

再び背もたれを倒され、治療が始まる。

「痛かったら、手で合図して」

私は小さく頷きながら、指でOKサインを作った。

麻酔を打たれると、次第に歯茎、いや右頬全体が倍に膨らんだように厚ぼったく感じられた。

口にゴムのカバーを取り付けられた。髪留めの輪ゴムを齧《かじ》ったときと同じ味がする。きっと口の中にテントを張られたようになっているのだろう。これで完全に喋《しゃべ》れない状態になる。そして目隠しされるようにタオルを瞼《まぶた》の上に置かれた。

麻酔が効いて治療の痛みはほとんどない。それでも、一番嫌いなドリルの振動が顎《あご》に響くと、憂鬱《ゆううつ》な気分になった。

「つきあってたときは一度もなかったのに、こうして君の治療をすることになるなんてなぁ。君と別れて四年……」

私は人差し指を立てて左右に振ると、今度は指を全部開いて、間違いを訂正する。

「あ、そう、五年か。早いね」

福山とは恵比寿《えびす》にあるワイン教室で知り合った。物腰が柔らかく、下村が言うほどのイケメンかどうかは別として、整った顔立ちをしている。ただ、鈍感なのか奥手なのか、私から何気なく好意のシグナルを送っていたのになかなか気づいてもらえず、結局、半年経って痺《しび》れを切らした私の方から「つきあったりしちゃう?」と冗談っぽく誘った。

彼は治療法に関して〝知りたい学びたい〟という向上心の固まりのようなタイプだったので、突然「ちょっと気になる治療法があるんで、来週からロスに行ってくる」と、姿を消すことがあった。

それでも、ふたりの関係に大きな波瀾《はらん》もなく、順調なつきあいが二年続いた。この人となら一生うまくやっていけそうだな、と思っていた。あとはプロポーズを待つばかりだと密《ひそ》かに期待していた。なのに、突然別れ話を切り出された。しかも電話でだ。

――別れよう。

ショックで一瞬にして全身から血の気が引いた。ただ当然、訳は気になる。

――どうして？　なんで？

しかし何度理由を尋ねても、彼は押し黙ったまま何も答えなかった。

他に好きな人ができたとか、私の何かが我慢ならないとか、あるいは「そろそろかな？」と私が口にする結婚のプレッシャーがイヤだったとか。彼が明確に答えない分、あれこれと考えが頭の中を巡った。

追いすがって泣きわめくようなことは決してするまい。所詮《しょせん》、男なんてこんなものだ。その代わりに、ワイン二本を急ピッチで空け、人知れず荒れた後、ソファで寝た。

あの日からしばらく、まさに何か奥歯に異物が挟まったような気分が続いた。

「と、いうことは君も三十の半ばってことか。歯だけじゃなく、ぼちぼち身体のいろんなところのケアとか真剣に始めないと、がくっとくるぞ」

私が衰えたとでも言いたい訳？　こっちが喋れないと思って、大きなお世話だ。確かに五年振りの再会ともなれば、その分の変化にも気づくだろうし、ましてや、こんな近くからライトを当てられているのだから、皺《しわ》だってくっきりと見えるだろう。が、そもそも年を取ったのは私だけじゃない。福山は私より五つ上だから、間もなく四十になるはず。もう立派なおじさんの仲間入りだ。

「アンチエイジングの専門医で、横浜で開業してる青田先生っていう知り合いがいるんだけど、なんなら紹介してあげるけど」

福山は治療が終わるまで、ずっと私に話し掛けていた。それにしても、こんなにお喋りな人だったかしら。

「はい、終わり。これで一応の処置はできたよ」

どれくらい時間が経ったのだろう。口を開けっ放しにしていたせいで疲れた顎を左右に動かしてみる。麻酔の効き目が残っていて、口を漱ぐとあらぬ方向へ水しぶきが飛んだ。

「この奥歯はあきらめてもらって、いずれインプラントにすることを薦めるよ。あとは、同じ間違いを繰り返さないように、早めに治療と予防をすれば大丈夫」

「分かった」

「うちの子たちが戻ってきたら、痛み止めを出させるから、会社に戻ったらすぐに飲んで。でも、少し眠くなるからね」

「ありがとう」

待合室に移って、彼と向き合ってソファに座った。彼をそれとなく観察すると、右耳に掛かる髪の毛の中に数本白いものが見えた。

「ん？」

「あ、お昼休みにごめんね。ご飯食べられなくなっちゃったんじゃないの？」

受付のカウンターに置かれた液晶時計に目をやると、二時半を回っていた。

「うん、ああ、大丈夫、慣れてるから。それに開業したばかりだし、新規の患者を逃したくなかったからね」と彼は笑った。

「まっ、正直に答えてくれて嬉《うれ》しいわ。でも、こんな近くで開業してたなんてびっくり」

「ここの前の先生とは、学会で知り合ってさ。結構、親しくしてもらったんだ。一昨年《おととし》、もう充分働いたからリタイアするって言い出してさ。で、君、ここでやったらどうだって言われたんだ。お子さんもいらっしゃらないから跡継ぎもいない。今はご夫婦で伊豆《いず》高原《こうげん》に家を建てて、そっちで悠々自適の生活を送ってる。そんな訳で、ありがたく話を受けることにした。設備もみんなそのままにね。だから、せめてもの感謝の証《しるし》に、医院の名前は残すことにしたんだけど」

福山なら、そういう目上の人から引き立てられてもおかしくはない。

「そうだったんだ。でも、よかったじゃない。開業するの夢だったものね」

「うん、まあ。でも、大変なのはこれからだよ。銀行からも借り入れしてるし、歯医者も過当競争になってるからね」

最新の技術もなく、これといって特色のない歯科医では、患者のニーズに応《こた》えられず、経営が難しくなってきていると、新聞の記事で読んだことがある。

「で、治療はどうする？」

「どうするって？」

「うちで続けるかいってこと。本当は次の予約を入れてもらった方がいいけど、かかりつけの先生もいるだろうし」

かかりつけの歯医者と言うには、もう随分とご無沙汰《ぶさた》している。そもそもマメに通っていれば、こんな目に遭うこともなかったし、彼と再会することもなかった。

「考えてみる」

会社の近くだし、彼に最後まで治療してもらう方がいい。だけど、もったいぶった言い方をした。

「じゃあ、決まったら連絡して。あ、それから、もしまだ痛みが消えないようだったら、診療時間外でも構わないからケータイに電話して。番号もメールアドレスも変えてないから」

「振られたんだもの、そんなの速攻で消しちゃったわ」

私は酔った勢いで、あの晩、福山のデータを削除したのだった。

「はぁ、随分と恨まれちゃったんだなぁ。ま、仕方ないか。じゃあ、僕の名刺を渡しておくよ」

「分かった」

もらった名刺をバッグの内ポケットに差し込んだ。

「あのさあ……」と、私が言い掛けたとき、食事に出ていた助手たちが戻ってきた。

「なに？」

「ううん、別に」

それから支払いを済ませ、痛み止めの薬をもらって医院を後にした。


歯の痛みは嘘のようにすっかり消えた。仮詰めされた箇所の舌触りが多少気になったが、プレゼンに臨んだ私の体調に問題はなかった。

プレゼン自体の出来映えは、可もなく不可もなくという程度だった。それでも、向かい合わせに座った担当者の表情から〝ダメ〟を出されることはないだろうと察した。

「目新しい企画はないけど……ま、いいか」

そんな予想した通りの意見が出たものの、クライアント側も予算を削ったという自覚があるから、とりあえず納得してくれたのだろう。

「そうだ、吉岡さん。暖かくなってきたから、またゴルフでも行こうよ」

会議室を出ようとした私に、宣伝部の園田課長が声を掛けてきた。

不況で接待ゴルフやおつきあいコンペの数もぐっと減ったが、それでも年に四、五回は仕事の延長でコースに出る。そんなときの私は所謂《いわゆる》〝メイドキャラ〟を演じる。打球が林の中に入れば一目散に駆けて行き「ここにありました、ご主人様」などの冗談で笑いを狙う。雰囲気が和んで、クライアントが喜ぶならそれでいいのだが、そんな調子で18ホール回ればどっと疲れる。気を回し過ぎて胃薬でも飲まねばやってられない。とはいえ、お得意先から求められれば断れない。

「いいですね、桜が咲いたら、花見ゴルフでも」私は笑って答えた。

エレベータに乗り込みドアが閉まると「はぁ」と溜《た》め息をついて肩を落とした。

「吉岡、ご苦労だったな」と、横山はほっとした表情を浮かべた。

「仕事ですから……」

「お前のような部下がいてくれて助かる。これからも頼むぞ」

「勘弁してくださいよ、もう。ホント、静かに嫁に行かせてください」

「お、そんな話でもあるのか」

「ありません」

「だーよな。お前、仕事好きだものなあ」と、横山は屈託なく笑った。

そうじゃないって……。どうして分からないかなあ……。なんで、こんな私になってしまったのだろう。生まれつきの性格なのか、後天的なものなのかは分からないが、父の影響が大きかったのは間違いない。

父は郷里の新潟で高校教師をしていた。最終的には校長まで務めた人だ。職場での評判は知らないが、家にいる父は気分屋で気難しい人だった。さっきまでにこにこしていたかと思うと急に怒り出すなどということは日常茶飯事。父なりの機嫌のスイッチはあったのだろうが、母も姉も私も、いつ父がそのボタンを押すのかとヒヤヒヤしていた。そのせいだろう、物心ついたときには、とにかく父の顔色を窺《うかが》うようになっていた。

年頃になれば、そんな父に反発して、グレるか怯《おび》えて引きこもりにでもなりそうだが、私は優等生のままだった。特に勉強は頑張った。子どもながらに、教師の娘である私の成績が悪いようでは父の顔に泥を塗ると思っていたし、何より父の機嫌がよければ家庭内のムードが温かかったからだ。勿論《もちろん》、胸の奥では父への不満が溜まっていたが、その気持ちを一切、顔にも言葉にも出さなかった。

大学に通うために上京し、一人暮らしを始めてからは、部屋にいるとのびのび過ごすことができた。が、やはり染み付いてしまった習性は直らない。働くようになってから、一層磨きがかかったように、人を観察しては分析するようになった。そんな自分を厭《いや》だと思う反面、その観察眼に妙な自信がある。それが横山の言う〝よく気のつく女〟という評価に繋《つな》がった。

エレベータのドアが開いて、横山を先に送り出す。

「あ、局次長」と背後から呼び止めて、私は横山のスーツの肩に付いていた糸屑《いとくず》を取った。やはりこの性格は直りそうもない。


社に戻ってから、しばらくケータイをいじりながら思案した。福山にメールしようかどうかと。

彼のデータはケータイに残ってはいないが、名刺で確認する必要はない。指が覚えているからだ。

未練たらしいと勘違いでもされたら悔しいが、はっきりさせたいこともある。

時計を見ると二時だった。昼休みの時間だ。やっぱり連絡してみよう。私は椅子をくるりと反転させると、メールを打った。

〝昨日はありがとう。痛みはありません。お陰でプレゼンはうまくいきました。お礼に食事でもと思っています。近々のご都合はいかが？〟

十分ほど経って返信メールが届いた。

〝あさっての晩、八時はどう？　乃木坂《のぎざか》に馴染《なじ》みの店がある〟

私は勿論、ＯＫした。

それからの二日間、胸をざわつかせる感覚があった。何を期待しているんだろう……。

福山と待ち合わせた店は、星条旗《せいじょうき》通りの中程、国立新美術館近くにあった。入り口に粗塩が盛られ、紺色の大きな暖簾《のれん》がかかった上品そうな和食の店だった。

「いらっしゃいませ」

ひと目で女将《おかみ》だと分かる和服姿の年配女性が迎えてくれた。

「あの、福山さんの……」

「はい、もうお待ちですよ。さあ、こちらへどうぞ」

店内は然程《さほど》広くはないが、個室風に仕切られたテーブル席と、大きな一枚ガラスと向き合うようなカウンター席があり、彼はその一番奥の席に座っていた。

「福山くん、お連れの方がいらっしゃったわよ」

女将が少しくだけた口調で彼に話し掛ける。

振り向いた彼は「よう」と手を上げた。昔、幾度となく見た笑顔だ。

私は彼の左側に座った。

「ほら、窓の外に桜の木があるだろう。花が咲くときれいな眺めなんだ。接待とかに使ってあげてよ」

と、女将が「ご贔屓《ひいき》にね」とすかさず声を掛けた。

「女将さんには息子のように可愛がってもらっててさ」

「この人、あんまり信用しない方がいいですよ。きっと財産狙いですから」と、私が笑うと「あら、気をつけなくちゃね」と、女将は微笑んだ。

「なんだよ、ふたりとも酷いなぁ」彼は頭を掻《か》いた。

「料理はお任せにしてある。じゃあ、先《ま》ずは乾杯」と、彼がグラスにビールを注ぐ。

「ん？　何に乾杯なの？」

「五年振りの再会に、とか？」

「あんまり嬉《うれ》しくないけど、とにかく、治療のことは無理を聞いてくれてありがとう」

「いえいえ、どういたしまして」

私たちはグラスの縁を合わせた。

「ただ、久し振りに会って、大口開けたマヌケ顔を見られるなんて恥ずかしいわね」

「あ、そう。でも、もっと恥ずかしい場所も覗《のぞ》いたことあるけどね」と彼はにやっと笑った。

そうからかわれて、急な火照りが首筋から顔に上ってくるようだった。

「もうっ、何言ってんのよ」

私は彼の背中を軽く握った拳《こぶし》で叩《たた》いた。ふと、時が逆行して昔のふたりに戻ったような錯覚を起こす。

「でも、少し驚いたなあ。あなたってあんなにお喋《しゃべ》りな人だと思ってなかったから」

「僕がお喋り？」

「治療の最中にずっと喋ってたでしょう」

「ああ、あれか。君のために頑張って喋ったんじゃないか」

「えっ、私のため？」

「君はさ、いろんなことに神経のアンテナ張っちゃうじゃないか。僕が黙ってたら、今のガリガリは何、とか、そのツンツンは何、とか、いちいち気にして身体に力が入っちゃう。それって疲れるだろう。ま、僕が話すことで関心がそっちに向けば、少しはリラックスできるんじゃないかって思ってさ」

そういうことだったの……。

「代理店の仕事なんて、気を遣ってナンボなんだろうけど、昔、デートの度に、胃が痛いって嘆いてたものなあ。ま、それは性格だから仕方ないか。でも、これからは少し楽になるよ、一本、神経抜いたからさ」目尻《めじり》に皺《しわ》を寄せて笑う。

「だといいけど」と溜め息が出る。

「その調子じゃ、相変わらずのようだね」

「一層、酷くなった感じ。余分なものまで気になるし見えちゃうし。あ、最近、みんなが社内で私のことなんて呼んでるか知ってる？　〝人間CTスキャン〟だって、失礼しちゃうわ」

それどころか、会社の後輩などは私を霊能者扱いだ。彼氏ができると、一度会ってくれと頼まれる。

「霊能者か、それはすごいね」

「霊視なんかできないって。でも、大概当てちゃうんだけどね。この男は金遣いが荒いとか、小心者だとかって」

「なるほど」

「でも、あなたのことだけは見抜けなかったわね。そう思うと悔しい」

「マズいな、雲行きがあやしくなってきたぞ」

と、そこへ女将がお造りの載った皿を運んできた。勢いに水を差された感じがする。

「ふたり、何か楽しそうねえ。あ、そうよ、福山くん、こういう人にお嫁さんになってもらえばいいじゃない？」女将はにこやかに私を見た。

「いや、それは事情が……」彼が苦笑いをしながら首を捻《ひね》る。

「まだ独身なの？」と彼に訊《き》くと、女将が割って入って「バツイチ。しかも二歳の娘がいるの」と口を挟んだ。

「お、女将」彼が慌てる。

「あら、まずかったかしら」と、言いながら、女将はにこやかな表情を変えない。

「へー、驚いた」私は思わず背中を反らせた。

五年は短いようで長い。私にとっては単調だったかもしれない年月に、彼はいろんな変化を経験していた。

「ビールをお願いします」女将は奥から呼ばれて私たちから離れた。

「三年前に結婚したんだ。ま、できちゃった婚ってやつかな。それはそれでよかったんだけど、彼女が育児ノイローゼになっちゃって。娘の世話をしなくなった。それからは、向こうの親を巻き込んでのゴタゴタ続きで、結局、僕が娘を引きとって離婚」彼はこめかみの辺りを指先で掻いた。

「娘さんの面倒はどうしてるの？　お母さん？」

「いや、伯母《おば》に預けてる。……母は四年前に亡くなったからね」

福山は早くに父親を亡くし、母子家庭で育ったと聞いた。伯母夫婦の支援と奨学金を得て、彼は歯科大に通ったと聞いたことがある。

「そうだったの……」

「母さんは、君がカンヌに行ってるときに、脳溢血《いっけつ》で倒れてさ」

彼から別れを切り出されるちょっと前の頃だった。テレビ局とうちの会社が組んで製作した映画をカンヌ国際映画祭へ出品することになり、私はアテンド役として同行していた。

「えっ、どうして言ってくれなかったの？」

「心配をかけたくなかったからね」

「だけど……」

「母さんの意識は戻らなくて、容態は芳しくなかった。青白い顔を見てたら泣けてきたよ。母さんは虫歯が痛くても医者に行けないくらい忙しく働いててさ。だから僕が歯医者になって母さんを治療してやろうと頑張ったんだ。治療してあげたとき喜んでくれて嬉しかったなぁ……。なのになぁ……。担当医からは、たとえよくなったとしても、車椅子の生活は避けられないって言われたよ。こんなことなら脳外科医になればよかったって真剣に思った。ま、でも、望みが少しでもあるなら、できるだけ付き添ってあげたかったし、ただ、そうなると仕事も休まなくちゃならないし、収入だって減る覚悟はいる。その生活が十年、二十年、一体どれくらい続くのかまったく分からなかったからね」彼は辛《つら》そうに目を伏せた。

「もしかして、私と別れた理由って、お母さんが……」

彼は軽く二度頷《うなず》くと「まぁ、時効だから言うけど、そういうことだね。あんな不確実な状況では君との結婚は考えられなかった。いや、期待すらさせちゃいけないって思った。もっとも、結局、母さんはよくならずに、半年後、そのまま……」と、口元を結んだ。

「話してくれれば、何か手助けができたかもしれなかったのに」

「きっとあのときもそう言っただろうなあ。だから余計に言いづらかった。君は気を遣う人だから、聞いてしまえば僕と母を放っておけなかったはずさ」

「当然じゃない。だって、好きな人と、その人のお母さんのことだし」

彼は少し間をおいた。

「別れを言うとき、直接、君に会わなかっただろう？」

「うん、そうね。正直、むっとしたけど……」

「会っちゃったら、君に見破られると思ったんだ。問いつめられたら、僕は母さんのこと、きっと喋ったと思う」

「そうしてくれればよかったのに」

「いや、そうしたら君の善意に甘えたに違いない」

一番肝心なときに、私は彼のいろんなものを見過ごしてしまったのだ。何が〝よく気のつく女〟だ。全然、だめだったじゃない。

「ただ白状すると、あのとき正直に打ち明けて、君の力を借りればよかったのかなぁって思ったこともあるよ。だらしないけどね、そうしたら精神的に大分違ってたんだろうなって……」

彼には申し訳ないけど、ずっと胸につかえていたものが、次第に消えていくような気がした。その代わりに、はっきりとした切なさと悲しみが入り込んでくるのが分かった。

「でも、すべては済んだことさ。遠い過去の話」彼は自分の手のひらを見た。

本当に過去の話なのだろうか。

「なぁ、思うんだけどさ、僕の人生は微妙に巡り合わせが悪いんだなって。不幸のどん底っていうほどじゃないけど、ちょっとしっくりこない。歯にたとえるなら、嚙《か》み合わせが悪いってところかな。君とのことも、母さんのことも、結婚して、離婚したことも……。歯の治療なら、いくらでも治す自信があるけど、人生の嚙み合わせは治せないらしい、悔しいけどね」彼は目を伏せながら苦笑した。

ふっと、おなかの方から懐かしい温かさが生まれ、それが一気に噴き出した。

「何言ってるの、しっかりしなさいよ。そんなことじゃ、娘さんのことまでだめになっちゃうわよ。あなた、優秀な歯医者さんなんでしょ。人生の嚙み合わせなんか治しなさい」

「そうだといいけど」

「もう、そんな顔しないの。あ、そうだ、今度、娘さんと三人でデートしましょう」

「ん？」

「どうせ、忙しさにかまけて、ディズニーランドとか、ちゃんと連れてってあげてないんでしょ」

「あ、まあ……」

「やっぱりね。だと思った」

「だけど……」

「あなた言ったじゃない。君は聞いちゃったら放っておけない人だって。そして私は言ったはず、好きな人なら当然だって。同じように、その人が大切に思う人のことも。それがお母さんから子どもになってもね」

「君、何を言ってるか自分で分かってるのか？」

「神経一本抜いてもらったから、おばかさんになっちゃったのかもよ」私は笑ってみせた。

「ねぇ、桜ってさ、案外しぶといと思わない？　咲いたら必ず散っちゃうくせに、それでも毎年、遅い早いはあるけど、またきれいに咲くでしょう。私たちだって……。ちょっと遠回りしたけど、咲かせることできるんじゃないのかな」

私はもうすぐ花を咲かせるであろう桜の枝に目を向けた。

リリーフはいない

既に、トランペットと太鼓の音が群青色の空に響き渡っていた。その空の下、三角形の照明灯から放たれた光に照らされた緑色の人工芝が鮮やかに輝く。

日中は穏やかな春の陽気が続き、球場付近の桜も満開だが、横浜港からの潮風が吹き抜ける一塁スタンドは相当寒い。こういう気候のせいもあるのだろう、観客の入りは七分程度といったところだ。ホームの一塁側でさえ、空席が目立つ。

「お、まだ点が入ってないな」

スコアボードに目をやると、三回の表まで0が並んでいて、これからベイスターズの攻撃が始まろうとしていた。

会社帰りに、部下をふたり引き連れての野球観戦だ。

「おお、ここだ」

番号を確認して、オレンジ色の座席に滑り込む。通路側に藤岡《ふじおか》、真ん中に私、そして奥に原口《はらぐち》と並んだ。座席が冷たくて尻《しり》がひんやりとする。

「もっと早く誘ってもらえれば、使い捨てカイロとか用意したんですけど、部長、急に言うんだものなあ」

そう言って寒そうに手を摺《す》り合わせる藤岡とは対照的に原口は無言のままだ。

「好きでお前らを連れてきた訳じゃない。ホントは今頃、両手に花でうひょひょ状態だったはずなのによ。そしたら、こんな寒さなんか……」

私はスプリングコートの襟を掻《か》き合わせ、貧乏揺すりをするように脚を小刻みに上下させた。

「藤岡はデブだから寒さには強いだろ」

「部長、また、そう決めつける。デブでも寒いときは寒いんです」と、藤岡が言い返してくる。

「そんなことはないよな。我々みたいにスマートなやつからすれば大分あったかいだろ。な、そう思わないか、原口」

「え、まあ……」原口が気のない返事をする。

藤岡は中堅社員で、結婚してから体重が十キロ以上増えた。一方、原口は入社二年目で、ひょろりと背の高い若手社員。体形だけではなく、ノリの点でも対照的なふたりだ。

「寒いが、やっぱりビールだよな」と、私が提案する。

「あ、早速、いっちゃいます？」藤岡が嬉《うれ》しそうに答えた。

「僕はホットコーヒーにします」

ちょっと盛り上がった雰囲気に原口が水を差す。

「コーヒーかよ、それはないだろ」藤岡がすかさず突っ込むが「コーヒーでいいです」と原口は譲らない。

「まあ、藤岡、好きなようにさせろ。いちいち構うなって」

「部長は若い連中に甘いですよね。僕がコーヒーなんて言った日にゃ、頭からビール掛けるでしょ」

単に若手に甘い訳ではない。相手を見て対応しているだけだ。

「アホ、一括《ひとくく》りにするな。それを言うなら若い女子社員に甘いと言え」

「スケベーなだけじゃないですか。大体、それってセクハラですよ」

「ばか言うな。セクハラは相手が厭《いや》がって初めてセクハラ。オレのは誠意ある下心。ま、スケベーなのは認めるが……」私はそう言って笑ってみせた。

「でも、部長のそういういい加減なところ好きだなあ。尊敬します。悔しいけど、実際、女子社員からウケがいいですもんね」

「だろ。そうじゃなけりゃ、義理チョコ選手権のチャンピオンになれない訳さ」

私と藤岡のばか話に加わるでもなく、原口は通り掛かった売り子に「ホットコーヒーひとつ」と声を掛けた。

「僕らもビールを頼みましょう」と、藤岡は言うと、ビール売りの女の子を手招きした。

女の子は私たちの座席にやって来ると、白い前歯を見せながら人懐っこい笑顔でビールを注いだ。

売り子がくるりと背中を向けて階段を降り始めると「今の子、可愛かったですね。僕のストライクゾーンです」と、藤岡が私に耳打ちする。

「そうだな。でも、オレはあっちの子だな」私は階段下から上って来る別の売り子を指差した。被《かぶ》った赤いキャップから長い茶髪を靡《なび》かせている。

「可愛い売り子がいっぱいですね、横浜スタジアム、侮れないなあ」

見ていると、どの女の子もにこにこと愛想がいい。客もそれぞれ贔屓《ひいき》の子がいるらしく、何度も同じ子から指名買いをしているようだ。そして必ず、一、二分言葉を交わす。中にはケータイを取り出し、一緒に写真を撮る者までいる。ちょっとしたアイドルとファンの間柄といった感じだ。

「きっと、ビジュアルも重視して採用してるんだろう。だとすれば、そういうことも企業努力の一環ってことだな。いずこも色々考えなくちゃならない、大変だあ。もっとも、笑顔ひとつで、一杯のビールが二杯、三杯になるって分かってるんだ。大したもんだ。だから女は怖い。が、羨《うらや》ましいなあ、バイトの面接担当が」

「は、そっちですか」と、藤岡が呆《あき》れる。

「あ、そうだ、原口、今度女の子が来たらメルアドとか訊《き》け。場合によっちゃ〝仕事終わったら飲みに行かない〟とか誘ってみろ」

私がそう言うと、原口は「厭ですよ、こんな場所でナンパするなんて」と断った。

「もう、使えないな。なぜ、お前を一緒に連れてきたか分からんか？」

「はあ……」

「藤岡みたいな不細工が声掛けたって、女の子がのってくる訳がない」

「げっ、なんて酷《ひど》いことを」と言いながら藤岡が、球場の外の出店で買った焼き鳥をビニール袋から取り出す。

「うわわわ、タレが」

「お前、オレのコートに垂らすなよ」

私は窮屈な座席で身体を捩《よじ》った。危うく、買ったばかりのコートに染みをつけられるところだった。

「な、こういう男だよ。だから原口、お前に期待したんだけど、まったく役に立たないなあ」

私に軽く咎《とが》められた原口は下を向いてしまった。

やれやれ。打たれ弱くて困ったものだ。

「それにしても部長、ベイスターズファンでしたっけ」と、藤岡が話題を変えた。

「ばか言うな。ジャイアンツファンに決まってるだろっ」

「そしたら、普通、三塁側でしょ」

確かに、今日のジャイアンツはビジターなので応援するなら三塁側スタンドだ。

「物事っていうものはな、同じものでも反対側から見なきゃ分からないこともある。こっちの方がジャイアンツのベンチがよく見えるし」

私は食べ終わった焼き鳥の串《くし》で三塁ベンチを指した。

「さすが部長、なるほど」と藤岡が感心する。

「そんな訳ねえだろ。一緒に来る予定の子たちがベィのファンだったんだよ」

「出たよ、適当部長」藤岡が笑う。

面と向かってそう言うのは藤岡くらいのものだが、部内では陰で私のことをそう呼ぶらしい。が、私としては本当のことなので気にしていない。というより、むしろ、親しみの表れとして都合よく解釈することにしている。

「おい、原口、ここは笑いどころだぞ。ここで笑わなきゃ洒落《しゃれ》にならんだろうが」

「あ、すみません」原口は蚊《か》の鳴くような声で謝ると頭を下げた。

「もっとも、こういうノリを楽しめないから、会社辞めようなんて思うんだろうけどな。で、原口、会社辞めてどうする？」私は不意打ちをするように尋ねた。

「えっ、お前、会社辞めんの？」藤岡が私の肩越しに原口を覗《のぞ》く。

「ええ、まぁ、一応……」原口がこっくりと頷《うなず》く。

「一応って、お前。へーっ」藤岡が驚く。

私たちは品川《しながわ》に本社を構える建築資材を扱う会社の営業企画部で働いている。主にセメント、セメント系固化材やスラグ粉などを扱っている。元々、業界ではトップクラスの売上を誇っていたが、九〇年代半ば、急激に業績が悪化した。そこで十二年前、財閥系の同業社と合併した。合併は良いことばかりとは限らなかったが、次第に、東南アジア、中近東、北米といった海外で業績を盛り返し、最近ではアフリカとオーストラリアへ販路を拡大している。売上高で業界トップの座が見えてきた。

朝っぱらから原口の様子が妙だった。

冴《さ》えないというか、少し怯《おび》えたような顔で、私の方を窺《うかが》っていた。決していい事柄を伝えたい訳ではないことくらい察しがつく。

席を立ち、私のデスクへ近づくかと思いきや、そのまま素通りして部内を一周すると自分の座席に戻った。なんかミスでもやらかしたか。

私はちょっと試しに席を外し、トイレに向かった。用を足すフリをして、便器の前に立つと、案の定、原口が後を追ってきた。

「ずっとチラチラとオレの方を見てるし、便所までついて来るし、お前、ストーカーか、オレに気でもあるのか」

「いえ、別にそんなんじゃ……」原口が慌てて否定する。

「ふーん、なんだ、それは残念だ。オレはお前でもOKなんだけどな」

原口が真顔になって押し黙る。

「おいおい、本気にするな。オレはそっちの趣味はない。で、何か話があるんじゃないのか？」

「別に……。その」

いちいち〝別に、別に〟と付け加える様にイラッとさせられるが、ま、最近のこの年頃の人間の口癖なのだろう。

「そんな訳ないだろう。いいから言ってみろ」再度、促す。

最近の若いやつの厄介なところは、二度や三度訊き直してやらなければ、ちゃんと答えないことだ。それでも充分な答えなど期待できない。

「あのー、実は……」

「お、なんだ」

「そのー、会社を……辞めたいんです」

なるほど。そういうことか。そう言われたところでショックはない。

入社三年目以内での離職率が三割だの四割だのと言われるようになって久しい。世の中が悪いとか会社が悪いとか、あるいは本人が甘ったれだとか、勝手な意見は色々あるようだが、理由はともあれ、我が社においても、ままあることだ。

「そうか、分かり易い話で安心したよ。でもよ、そういうことを連れションしながら言うか」

「あ、すみません」

「ふーん、会社を辞めたいのか。あっちでもこっちでも、まるで流行《はや》り病だな」私はにやにやしながら小さく頭を振った。

「え？」

「気にするな、単なる独り言だ。で、退職願はもう書いたのか」

「いいえ、まだです」

我が社は合併に伴って、課長、係長という役職を廃止した。所謂《いわゆる》、中間管理職がなくなったお陰で、この手の話が部長案件になった。迷惑な話だ。

「お前、まさか、退職願の書き方までオレに教えてもらうつもりじゃないよな？」

「いいえ、ただとりあえず、その前に部長に相談してからと……」

「とりあえずって……」

ここ数年の間に辞めていった若い社員の中には、退職届を郵送してそのまま出社をしなくなった者や、母親同伴で退職届を持ってきた者もいる。それと比べれば、ちょっとはマシな部類かもしれないが。

「ま、いいか。でも、辞めるんなら、パッと書いて、さっと出しちゃえばいいのに。そうか、まだ書いてないのかあ、面倒臭いやつだなあ」私はズボンのファスナーを上げた。

手洗い場へ移動し、手を洗いながら「ま、いいや、それはひとまず置いといて。お前、今晩何か予定があるか」と、鏡に映る原口に尋ねた。

「いいえ、別に……」

「そうか、別にか。じゃあ、オレにつきあえ」

「は？」

「横浜に野球観に行くぞ」

「はぁあ……」

「藤岡も一緒だけどな」

昨今、こういう強引な誘い方をする上司はウザイと敬遠されるのだろうが、そんなことはどうでもいい。

「どうしてですか？」

「別に」私は少しからかい口調でそう言った。

明らかに原口の表情が強《こわ》ばった。

「おいおい、そう構えるなって。なぁにチケットが余っちまったんだ。総務の井田《いだ》彩音《あやね》、胸のでっかい子。あ、そうか、お前知らないか。ま、どうでもいいな。井田と井田の女友だちと行くはずだったんだけど、フラれちゃったんだよ。帰りに中華街で美味《うま》いもの食わしてやるって言ったのに、合コンだとよ。まったく、ドタキャンだからな、まいるぞ。先に言えっつーんだよな、先に」

原口は狐につままれたような顔つきで、ただ立ち尽くしていた。

「説教もしなきゃ、引き留めもしない。大体、そんな面倒なことは嫌いなんだ。単にオレのお世話係でついて来いっていうだけの話だ。よし、決まり。ちょっとフライング気味に会社を出るから準備しておけよ」

私は有無も言わさずそう告げると、原口の細身のスーツの肩先をポンと叩《たた》いた。


打球音が響いて、ファウルボールが私たちの方へ飛んで来る。すくっと立ち上がった原口が素手でキャッチした。

「おおっ」

周辺から一斉にどよめきと拍手が起こった。

「見事だな、原口。意外と敏捷《びんしょう》なんだな」

「いや、別に。そうでもないです」

「かーっ、煮え切らんやつだなあ。それにな、こういうときは、捕ったボールを高く上げて、周りの拍手に応《こた》えるもんだ」藤岡は自分がキャッチしたかのような身振りをする。

「カッコ悪いじゃないですか」

「カッコ悪い？　藤岡、そうなんだってよ」私が藤岡を茶化す。

「気取りやがって」藤岡は憮然《ぶぜん》として横を向く。

だが、藤岡のイヤミなど意に介さぬふうで、原口は捕ったボールを、前列のグローブを持っていた男の子に渡した。男の子と、おそらくその父親であろう男が「ありがとうございます」と、原口に頭を下げた。

「原口、お前、野球やってたのか？」私がそう水を向ける。

「いいえ」

「ほー、なんだ、まぐれか。でも、筋がいいな」

「お前、部長に褒めてもらえるなんて、本当に筋がいいのかもな。部長は大学時代……」

と言い掛けた藤岡に私は首を振って、それ以上はいいぞと目で合図した。

私は少年野球に始まって、ずっと野球一筋だった。

大学に進学して、東都大学リーグでは二年のときベストナインに選ばれたこともある。大学までの生活の中心は常に野球だった。野球選手としては小柄な私だったがセンスはよかったと思っている。プロも夢じゃないかもしれない。ドラフト五位あたり、いや、どんな順位でもいいから引っ掛かってくれないものかと、真剣に思っていた矢先、腰を痛めてしまった。整体や鍼《はり》治療を受けながら、騙《だま》し騙し腰痛とつきあって野球を続けたが、結局は思うような活躍ができず、後輩にポジションを奪われた。私は野球選手としての輝きを失った。一時、腐った私は退部を考えたが、なんとか部活を全うした。だが挫折感《ざせつかん》は拭《ぬぐ》えない。それだけに、見つめる先のフィールドでプレーするプロたちの姿に羨《うらや》ましさを覚える。もっとも、故障がなかったとしても、プロに行けたかどうかは分からない。ただ確かなことは、人生には思い通りにならないことが予期せず起こるということだ。

「聞かせてやればいいじゃないですか」藤岡が食い下がる。

「上司のリアルな自慢話なんかにゃ興味はねえよ。こういう年頃は特にだめだろう。それに途中で挫折したようなもんだしな」

私は苦笑いをし、紙コップに残ったビールを飲み干すと「原口、お前、今年、二十四か」とグラウンドに目を向けたまま尋ねた。

「はい……」

「そうか、本当に同い年だな。まあ、死んだ子の年を数えるもんじゃないと言うが、お前を見ていて、ふと三歳で病死した息子のことを思い出したよ」

「えっ……」騒がしい歓声が響く中でも、原口が漏らす微《かす》かな声が聞き取れた。

「部長……」と口を挟み掛けた藤岡を制して私は続けた。

「可愛い盛りでなあ。まだちいちゃかったがボール遊びが大好きで。こりゃあ、野球の筋がいいなんて喜んだもんさ。生きていればオレが直接、野球を教えてやりたかったが……。

ま、そんな訳で、少しばかりお節介を焼いて話すんだが……」

原口は、神妙な顔つきで俯《うつむ》いた。ようやく聞く耳を持ったということか。

「会社辞めて、その先のアテはあんのか？」

「いや、これから……」原口は首を横に振った。

「お前はひとり暮らしか？」

「いいえ、両親と一緒です」

「じゃあ、すぐには食うに困らないってことなのか？」

「ええ、まあ……」

「そりゃあ、なんとも幸せなことだなあ。で、親御さんには会社を辞めること相談したのか？」

「はい、ちょっとだけ……」

「なんて言ってた？」

「もう少し考えろって言われました」

世間一般の親の意見としては模範解答といったところだ。

「だよな……。ま、オレはお前の親でもなんでもない赤の他人だから、お前が辞めようがどうでもいいけど、部下の監督責任っていうものがある。管理能力を上から問われたらたまらない。いくら適当部長だっていっても一応、立場ってもんがある。お前、立場って言葉、知ってるか？」

「はい」

「よかったあ。知らないって言われたらどうしようかと思ったよ。じゃあ、ひとつ訊《き》くが、辞めたい理由はなんだ？」

「それは別に……」

また、そこに戻るか。

「でも、何かあるだろう？」

「強いて言えば……」

「おお、強いて言えば？」

「なんとなく合わないと思うんです。この仕事」

藤岡がビールに噎《む》せた気配がする。

振り向くと、口の周りに泡をつけた藤岡が「お前、ばっかじゃないの」と原口に言った。

私は「ほー、立派な理由があるじゃないか」と何度か頷《うなず》いた。

呆《あき》れてイヤミを言ったのではない。そんなところだろうと、期待をしていなかったのだ。

「安心したよ、理由があって。ふーん、そうか、合わない気がするねえ……」

私は黙って腕組みをすると、ショートゴロを打って一塁へ駆け込む背番号6に目をやった。

六回の表が終了し、攻守交代。

「すみません、トイレに行って来ます」

原口はそう言うと、座席を立った。藤岡と私は膝《ひざ》を引いて原口を通した。

長い階段を下って行く原口の後ろ姿を見ながら「あいつ、戻ってきますかね?」と、藤岡が尋ねてきた。

「さあ、分からん。あのまま帰ってしまっても驚きはしない……」

「それにしても……。部長にもうひとり息子さんがいたなんて知りませんでしたよ」

「ん?」

「いや、その、部長が息子さんを亡くしていたなんて話、初めて聞きました」

「は? なんのことだ?」

「さっき、小さかった息子さんを病気で亡くしたって……」

「ああ、あれなあ」

私は可笑《おか》しくなって、口を手のひらで押さえると俯いて笑った。

「どうしたんですか」心配そうに、いや怪訝《けげん》そうに藤岡が私の顔を覗《のぞ》き込む。

「いやいや、すまん。ちょっとツボにハマって。藤岡、あれは嘘、作り話」

「えーっ、嘘って」

「話にはそういう嘘も入れなきゃドラマチックにならんだろう」

「酷いなぁ、この人。ちょっとうるっときそうだったのに」藤岡が憤慨する。

藤岡には去年、男の子が生まれた。そのせいもあるのだろう、私の嘘は刺激が強かったらしい。

「恋愛と同じだよ。こっちに気を惹《ひ》こうと思えば見栄《みえ》も張るし嘘もつくだろう。そういうことが分かってないから、お前はモテないんだよ」

「すみませんね、モテなくて。でも、あとで原口にバレたら、あいつも怒りますよ」

「いいじゃないの、怒るくらいの覇気があるなら。それに、どうせ辞めるつもりなんだろうし。ま、関係ない」

「それにしても部長、演技派ですよね」

「ああ、大学時代は演劇部で……」

「もういいです。野球部でしょ野球部」

「だが、あいつと同い年の息子はいる」

「知ってますよ。昔、お宅にお邪魔したとき会ってます。あのときは中学生だったですかね」

私には、この春大学に入った娘と、外資系の証券会社に勤める息子がいる。

「さーて、その息子なんだが……」

私は苦笑いした後、洟《はな》を啜《すす》った。

今年の二月の半ば頃だったか、深夜に帰宅すると、いつもはさっさと先に寝ている妻が待ち構えていた。

いつものようにチャイムを鳴らさずに自分でドアの鍵《かぎ》を開けた。玄関に入ると、中廊下の照明が点《つ》き、奥の居間から妻が向かって来た。これはいいことの前兆ではない。あれ、オレなんかマズいことの尻尾《しっぽ》を摑《つか》まれたかと、一瞬後退《あとずさ》りした。

「な、なんだ、珍しいな、お前が出迎えるなんて」

「ちょっと、いいから、早く上がって」妻は私のコートの腕を摑んだ。

私は靴を揃える間もなく、居間に引っ張っていかれた。

「なんなんだよ、一体」

妻は辺りを見回すと小声で「洋一郎が会社を辞めたいって言い出したの」と言った。

「なんだ、そんなことか」

「そんなことかじゃないでしょっ」妻は早口に言葉を発しながら目を吊《つ》り上げた。

「オレはまた、浮気でもバレたかと思った」

「してるのっ？」妻に睨《にら》まれた。

「お前、冗談に決まってるだろ……」

「こんなときに、あなたって人はもうっ」

「す、すまん」

私はマフラーを外し、コートを脱ぐと「どっこいしょ」とソファに座った。

「で、やつはいるのか？」

「部屋に」

「で、辞めたい理由はなんなんだ？」

「それが、なんかはっきりしなくて、あの子」妻は首を捻《ひね》った。

今から息子の部屋に乗り込むというパフォーマンスをしても仕方あるまい。

「まぁいい、とりあえずオレから話をしてみるさ」

とは言ってはみたものの、ひとりでそんなことを背負《しょ》い込むなんてたまらない。

その翌朝、朝食のテーブルにつき、出された塩ジャケの身を解《ほぐ》しながら息子に話し掛けた。一対一で改まって話すより、家族揃った場でさらっと訊いてみる方が深刻さが薄まっていい。

「洋一郎、お母さんから聞いたけど、お前、会社辞めたいんだってな」

「えっ、お兄ちゃん、会社辞めるの？」

息子が言葉を発する前に、セーラー服姿の娘、杏《あんず》が驚くように声を上げた。

「別に、お前に関係ないだろう」息子がムスッとして言い返す。

「杏はいいから、ちょっと黙ってなさい」妻が娘を窘《たしな》める。

「なんで、私が叱られる訳？」娘が膨れっ面をする。

「で、理由はなんだ？」

私は妻と娘のやり取りを無視して息子に尋ねた。

「別に……」

その少しふて腐れた言い方にカチンときたが、反面ほっとした。〝やり甲斐《がい》の問題だ〟とか、もっともらしいことを持ち出された日にゃ答えに詰まる。やり甲斐を感じて仕事をしている人間を探すなど、それこそ藁《わら》の山から針を探すようなものだ。多くの人は食うために働いているのだから。

私は大きく息を吐き出してから話を続けた。

「いくらお前の人生だからといっても、簡単に会社を辞めるっていうのはどんなものだ。我慢も必要だろ。大体、この先を考えてみろ。結婚ひとつとってもな、そんな男に、今時の女が惚《ほ》れるか。いや、今時じゃなくても同じだ。少なくとも、お母さんみたいなタイプは絶対お前とは結婚しない」

「なんで、そこで私が登場するのよ」妻が口を尖《とが》らせる。

「私だって、お兄ちゃんみたいなタイプはイヤ」娘が言い放つ。

「お前には関係ないだろっ」息子が娘の後頭部を小突く。

「痛ーいっ、何すんのよ」

勝ち気な娘は息子の背中を思い切り叩《たた》き返した。

普段から男勝り、こういう言い方が当てはまるのか甚だ疑問の世の中だが、できれば、そんな娘と息子の性格が反対だったらよかった。と、妻がいつも嘆いている。

「こら、やめないか。杏は口を挟むな。どうして、そうややこしくする。何を言ってたか分かんなくなっちまったじゃないか」

結局、早朝の〝家族会議〟はグダグダのまま終了。だが、この展開は私の思う壺《つぼ》だ。これで妻への義理も果たせた。

息子と一緒に家を出て、駅へ向かう道すがら私は言った。

「お母さんの手前、世間一般的な父親の意見を言ったが、辞めたければ辞めればいい。お父さんは構わない。ただ、お母さんに先に言っちゃまずいだろ。反対されるに決まってる。それでオレが責められるんだから、勘弁してくれよ」

「うん、ああ……」

「まったく中学生並みの判断力だ。違う意味で心配になる。それとも何か、反対してもらいたかったのか」

「そうじゃないよ」

「どうかね、怪しいもんだ。そんな気持ちがあったんじゃないのか」

「ないって」息子がムキになって言い返した。

「ま、何やってもいいから、自分のケツくらい自分で拭《ふ》け。とにかく、オレは反対はしない。大体、無理強いしたって、後でうまくいかなかったとか逆恨みされてな、お前に刺されでもしたら、やっとこさ五十年も生きてきたのにたまらんだろうが。オレはそんなことで有名になるのはご免だ」

「そんなことするかよ」

「いいや、今の世の中、そんな話でいっぱいだ」

「実の子を信じられないのかよ」

「アホか、オレの子だから不安なんだよ」

黙ってしまった息子を尻目《しりめ》に、大声で私が笑うと、足早に駅へ向かうご同輩たちが私たち親子に目を向けた。


「で、息子さん、どうしたんですか?」

「今のところ、まだ辞めずに行ってるよ。どういう心境の変化があったかさっぱり分からんがな。なんせ、あいつらは宇宙人みたいなもんだから」

そもそも、私たちだって〝新人類〟と呼ばれた世代だ。当時の大人からすれば、捕らえ所のない新種の人間なのだ。その訳の分からない世代から生まれた子どもたちだ。もっと訳が分からなくても不思議ではない。

「人類を超えて、もはやこの地上のものじゃない。いくら息子とはいえ、得体の知れない生き物だと思っていた方が気が楽だけどな」

「でも、よかったじゃないですか」

「そうかねえ。いっそのこと、独立なんかしてくれて、何でもいいからガンガン儲《もう》けてくれりゃ、親としては左うちわでウホウホもんだけどな」

「子どもにたかる気ですか。酷い親だなあ。ま、部長らしくていいですけどね」と藤岡が笑う。

「しかしなんだな。実の子の扱いは難しい。お前らだったら、適当な小言でも言っとけば済むが、ひとつ屋根の下に暮らしてると厄介だ。一応、父親ぶらなくちゃならんし。小学生くらいまでなら、一緒に風呂《ふろ》に入ってさ、それとなく諭せば〝うん、分かった〟って答えたもんだが。まさか自宅の風呂にでっかい息子と入るっていうのも気色が悪いしなあ」

「そんなもんですかねえ。僕なんか可愛くて仕方ないですよ」

「そりゃあ、昔は可愛かった。息子のすべてが愛《いと》おしくて、男の子なんだけど、チュッチュッしてたものな。お父さんが、何があってもお前を一生守ってやるなんて言ったもんだが、とんだお門違いだったな」

と、ゆっくりと階段を上ってくる原口の姿が見えた。

「あ、部長、原口戻って来ましたね」と、藤岡が顎《あご》を軽くしゃくった。

私と藤岡はまた脚を引っ込めながら、原口を奥の座席に通した。そんな原口を放ったまま、私たちは話を続けた。

「藤岡、お前、いくつになる?」

「今年、ついに四十に」

「不惑かあ……。四十にして惑わずねえ、孔子《こうし》もとんだ食わせ者だ。オレなんか四十になった途端、ガタガタになったもんなあ。身体は壊すし、住宅ローンに学費に、女房の小言、最近じゃ娘のご機嫌取りまでしなくちゃならん。まぁ厭《いや》になっちまうな。おネエちゃんのことで悩むのは大歓迎だけど。こうやって死んでいくのかと思うと情けなくなるぞ」

「そんな暗いこと言わないでくださいよ」

「アホ、それが現実ってやつだ」

「だけど、こう言っちゃなんですけど部長、傍《はた》から見てるとトラブルに遭っても、なんか楽しそうですよねえ」

「お前は本当に人間観察がなってないよなあ。オレの苦労が分からんのだから」

「苦労してるんですか」

「ばか言え、オレだって、会社を辞めようと思ったことがある。それも一度や二度じゃない」

「本当ですか。なんか嘘っぽいなあ」

私の言葉に反応したのは藤岡ばかりではない。原口が私を見る気配を右目の隅に感じた。

「この世の中で、仕事を辞めたいと思ったことがない人間がいたら、お目にかかりたいもんだ」

合併で業績が回復したのはよいことだったが、社内には財閥系出身者の優遇人事が横行した。私を可愛がってくれた当時の上司も地方に飛ばされ、それきり本社に戻ることもなく定年を迎えた。

「だが、踏み留《とど》まらせたのは意地だな。あの頃はまだ熱い血が残ってたし」

人事に関して明日《あす》は我が身だという意識が強かった。おまけにマンションを購入したばかりで地方に飛ばされるなんてたまったものではない。あの頃の私はとにかく新規得意先の獲得に心血を注いだ。特に財閥系出身の同僚が断られた相手に再度の営業を掛け、契約を取った。

「オレだってそれなりの努力はしたんだぞ」

その甲斐《かい》があって、個人の営業成績は部内でも群を抜いていた。が、それでも多数を占める財閥系出身の役員からは疎まれた。男の嫉妬《しっと》というのは醜いものだ。

「女の子の尻《しり》を触ってるだけで、部長になったとでも思ってるのと違うか？」

「ははは、まさか。でも部長ならあり得る話ですが」藤岡はにやっと笑った。

しかし、接待やら何やらで睡眠時間を削り、胃潰瘍《いかいよう》を患い吐血した。幸い、大事に至らず、一週間の入院で済んだが、さすがに少しばかり応えた。だが、ここで負ける訳にはいかない。

復帰後、すぐに調子を取り戻し、成績が下がることはなかった。

財閥系出身の役員にすれば面白くなかったのだろうが、成績を上げている私を無視することもできない。三年前、前任の部長が定年を迎えたとき、私はその後釜《あとがま》に収まった。クリーンナップを打てる人材が他にいなかったから〝あいつにでもとりあえず打たせておけっ〟ということなのだろう。

「適当な男だとか簡単に言うが、オレの適当は筋金入りだからな。得意先になら誠心誠意のべんちゃらを言う。でも、太鼓持ちじゃない。敵に尻までは差し出さない。ましてや上役なんかにな」

そんな私だ、部長にはなれたが役員は望めない。上役の態度で大方の察しはつく。

「部長だって威張ったところで雇われの身には変わりない。だからこれ以上はない。出世を諦《あきら》めたサラリーマンほど、無敵な存在はないんだ」

「充分でしょ。部長になったんだから。そんなこと言ったらバチが当たりますよ」

「ほー、じゃあ、すまんが、うちのカミさんにバチを当ててくれ。うちのは、もっと頑張れってオレの尻を叩くんだ。まいっちまうぜ。ま、カミさんのことは置いといても、そんなことで、あとは足を引っ張られない程度にお気楽部長を決め込むことにした」

と、夜空に大きな放物線を描いて打球が飛んだ。一斉にスタンドの観客が立ち上がってその行方を見守った。しかし打球は失速し、レフトフェンスを越えなかった。

「あああぁ」と、三塁側スタンドから落胆の声が漏れた。

「なんだよ、いったと思ったのにな」

立ち上がった私も、ゆっくりと座席に尻を戻した。

クリーンナップに回ったジャイアンツの攻撃は三者凡退に終わった。

すると「あのー……部長」と、原口が丸めていた背中を伸ばして私の方へ向き直った。

「ん？　なんだ？」

「あのー……」

「だからなんだ、もう帰りたいか？」

小さな子どもがもじもじするように「もう少し会社にいてもいいですか」と原口が言い出した。

「あ、そう。しかし、辞めようと思うのも早いが、取り消すのも早いなあ」

「すみません。でも、その、僕は……」

原口が何か言おうとしたが、私は「いいって、気が変わった理由なんかどうでもいい。また辞めたいと言い出すかもしれないし」と、手を振った。

「それにな、こんな訳の分かんねえ世の中になっちまって、夢も希望もあったもんじゃないし。だから、なんとなくとか、性に合わないとか、そんなことで辞めたくなっても不思議じゃない。いくら会社に忠誠を誓ったところで、その会社自体が明日には潰《つぶ》れちまうことだってある。もっとも、会社どころか国だって危ないんだし。ま、そう考えると、留まることがいいんだか悪いんだか分からんぞ。お前らの先なんか真っ暗だ。ホント、御愁傷様だなあ」

「ひー、どうしてそういうこと言うかな」と藤岡が素っ頓狂《とんきょう》な声を上げる。

「残念ながら、それが事実なんだし。なあ、原口。野球は合わないからサッカーに転向しました、でもやっぱり無理だったから、地味に卓球を始めました。いいんだよ、それで。甘っちょろいかもしれんが、いいじゃないか。普通は我慢しろとか頑張れって、上司なら、いや分別のある大人ならそう忠告する。でも、しょうがねーじゃねえか、厭なもんは厭なんだから。大体、死ぬ気で頑張れって言うと、死ぬ気じゃなくてホントに死んじゃうし。そんなことされた日にゃ、オレがビルの屋上から突き落としたみたいで一生夢見が悪いだろ。大体、無責任なんだ、他人《ひと》様にアドバイスするなんて。もっともらしいことを言うやつほど信用ならんもんだ。だから、自分の好きなように判断すればいい。その代わり何があっても自分のせいだものな。あ、流行《はや》りの自己責任とかなんていう曖昧《あいまい》なものを引き合いに出す気はないよ。ただ、ひとつだけ覚えておけ、野球やるのは誰だ？　サッカーやるのは？　卓球は？　結局、自分だろ。自分がプレーすんだろ。そういうことだ」

するとき「辞めなくて正解だと思うぞ」藤岡が私越しに原口に声を掛けた。

「部長はいい加減な人に見えるかもしれないけど、根っこの部分じゃオレたち部下のことをしっかり見ててくれるいい人なんだ」

「おいおい、やめろよ。照れるじゃねえか」私はコントを演じるように大袈裟《おおげさ》に手で頭を押さえた。

藤岡は原口の方へ身を乗り出した。

「お前と同じ入社二年目のとき、考えられないくらいのでかい発注ミスをしちゃってな。まあ、先方を怒らせた怒らせた。部長は……その頃はまだ部内の先輩って感じだったけど、一緒に謝りに行ってくれてさ。でも、なかなか会ってもらえなくって。ねえ、部長、ビルの玄関前で担当者待ち伏せしましたっけね」

「そういえば、したなあ」

「冬だったし、おまけに雨は降ってくるし。で、担当者が出てきたら、この人、いきなり傘を捨てて土下座するんだぞ。オレもすぐに横に並んで土下座した。みんな見てるし、カッコ悪かったけど、ま、結局、出入り禁止だけは免れた。ゼロからのやり直しだったけど、それが今じゃオレにとっての一番の得意先だ。それもこれも部長のお陰さ」

「お前、何、マジになってんだよ。オレはただ、お前がクビになっちゃ困ることがあったからでさ。なんせカミさんに対しての、まぁ色々なアリバイ工作には必要な人材だったんでな」

「えっ、そこですか。褒めて損しちゃったなあ」

「誰かの役に立つってことはいいことだろっ」

「まったく、どういう人なんですか。本当に適当部長なんだから」

ふと気づくと、ジャイアンツの先発ピッチャーが突如制球を乱し、ツーアウトから連続四球を与え、あっという間に満塁のピンチを背負った。三塁側ダッグアウトから、ピッチングコーチが小走りにマウンドへ向かった。

「交代ですかね」藤岡が言う。

「おいおい、やめとけよ。ちゃんと自分で尻拭《しりぬぐ》いさせろって」私は独り言を言った。

マウンド上の輪が解《と》けて内野手が各々のポジションに散った。

「続投ですね」

「ああ、それでいい」

マウンドに残ったピッチャーはセンター後方のスコアボードを見上げ、大きく息をして肩を上下させると、手にしたロージンバッグを地面に叩《たた》き付けた。白い煙が立ち上った。

するとと開き直ったのか、簡単にバッターをツーストライクへと追い込み、最後はインハイの直球で空振りを奪った。ガッツポーズをし、跳ねるようにベンチに戻るそのピッチャーに対して、三塁側スタンドから拍手と歓声が送られ、一塁側スタンドには大きな溜《た》め息が溢《あふ》れた。

「ピッチャーならリリーフもいる。仕事だって代わりの人間ならいくらだっているんだ。だけど、人生はそうはいかない。人生のマウンドってやつはさ、一度上がっちまったら、自分ひとりで投げ抜くしかないんだ。先発完投だ。どんなに苦しい状況になっても、だーれもリリーフなんかしちゃくれない。だから、マウンドを降りるときは死ぬときなんだ。お前ら、そう思わんか？」

　ふたりが神妙な顔つきで頷《うなず》いた。

「……なーんてな。ちょっとカッコよかったか、オレ。まいったな、ついついいい台詞《せりふ》が出ちゃうんだよなあ」

　私はそう言って笑うと、原口の肩をポンと叩いた。

「オレの下にいる以上、手加減はねえぞ。そこんところ、分かってんだろうな」

　原口は素直に「はい」と頷いた。

「よーし、それじゃあ、しっかりお前の役目を果たせ。じゃあ、まず、あの茶髪の子のメルアド訊《き》いてこい」

じゃあまたな

地下鉄東西線の葛西《かさい》駅のホームに降り立った。気づけば葛西にやって来たのは二年振り、いやもっと経つか。タクシーの後部座席でふんぞり返って訪れるような心境ではなかった。もっとも、こんな憂鬱《ゆううつ》な気分にさせられるのは交通手段のせいではない。

中央口の改札を出て、バス停のある南側のロータリーへと足を運ぶ。駅舎の陰から出ると、西側に隣接したビルの隙間から陽が差し込み、その眩《まぶ》しさに目を細める。気分とは裏腹な風ひとつない五月晴れの一日だった。光を手のひらで遮りながら見上げた空に微《かす》かな赤みが残っていた。

私は大きく深呼吸をした。が、気持ちが落ち着かない。すると、どうにもタバコが吸いたくなった。四十歳になった一昨年《おととし》の正月、禁煙を宣言して、今日までその意志を貫いてきたというのに……。

売店の前に立ち、鞄《かばん》から革の小銭入れを取り出すと、昔吸っていた銘柄を告げ、ブルーの百円ライターと一緒に購入した。

私が禁煙して、家族、とりわけ妻は喜んだ。私の健康を気遣ってのことではない。元々、嫌煙家なのだ。

「君の前では吸わないんだからいいだろう」

「タバコの臭いの付いたスーツを、私の服と一緒のクローゼットに仕舞うのが厭《いや》なの」

そんなことを言われ、結婚をしてから、家で吸うときは換気扇の下、そして長男が生まれてからは、わざわざ居間から庭に出て吸っていた。

鼻の利く妻のことだ。私が禁煙を破ったことなどすぐ嗅《か》ぎ付けるだろう。が、そんなことも今は後回しだ。

タバコの箱を手にしながら駅周辺を見渡す。

「喫煙エリアはどこだ?」

それらしいスペースは見当たらない。タバコ吸いには肩身の狭い世の中になった。キリのいい年齢ということもあったが、私がタバコをやめようと思ったきっかけのひとつに、吸う場所を探す手間が面倒になったこともある。お陰で喫煙場所探しに苛々《いらいら》することもなくなった。

うちの会社でも何年も前から分煙化が進み、自販機コーナーをガラスで覆った喫煙室を設けた。以前は、そこで部下たちと一服したものだが、自分がやめた途端、社内を全フロア禁煙とすることに賛成した。

「専務、自分がやめたからといって、そりゃあないですよ」

「吸いたいやつは表で吸え」

若い部下たちには、からかい半分に笑いながらそう言ったものだ。人とは、つくづく勝手な生き物だ。

が、改めてこうして吸おうと思った途端、場所探しは厄介事になる。

階段下や柱の陰に回り込んで探したが、灰皿は見当たらない。なんだよ、まったく……。

ブツブツと文句を言いながら、今度は駅の周辺に目を向けた。

バス停の向こうにパチンコ店が見えた。ガラス扉の入り口の前に、銀色の細長い筒が置かれている。あれは灰皿だ、間違いない。

小走りで灰皿のある場所へ移動した。セロハンを無造作に剝《は》がし、タバコを一本くわえると火を点《つ》けた。久し振りに、肺の中に入り込む煙に噎《む》せて咳《せき》が出た。

最近は、パチンコ屋まで禁煙なのか。もう禁煙の波は留《とど》まることはないだろうな。世の中には急に悪者扱いをされ、どんどん社会の片隅に追いやられてしまうものがある。公共事業も同じようなものだ。

〝梶山《かじやま》土木〟を見捨てろだと。ふざけるんじゃない。

「このまま事業が減らされては、立ち行かなくなります」

先週の取締役会で、経理担当役員の今村が口火を切った。

「いくら老舗《しにせ》の第五京浜《けいひん》建設といえども、看板だけじゃどうにもなりません」

公共事業は氷河期だ。耐え忍び、仮にその先に暖かな日差しが見えるなら我慢のしようもある。が、事態は出口のない暗闇。氷の解けるのを待つ余裕もなくなった。そんなことは重々承知している。だからといって……。

私はひと口だけ口を付けたタバコの火を苦々しく灰皿の上でもみ消すと、折れ曲がった吸い殻を小さな穴に落とした。

〝第五京浜建設〟は、私の祖父が興した会社だ。その当時は〝岩谷組《いわたに》〟という名だったが、二代目社長、つまり私の父が現在の社名に変え、事業拡大に成功した。スーパーゼネコンには及ばずとも、下請け、孫請け会社を数十社従える土木中心の会社だ。

今でこそ、専務というポストに就いているが、私は跡取り息子と期待されながらも、大学を卒業して、すんなりと入社した訳ではなかった。理由は父への反発だった。

母は私が高二のときに他界した。私から見れば、仕事一辺倒の父は病床に臥《ふ》せった母をほったらかしにして、死に追いやった張本人のように思えていた。その思いが父の会社に入ることを拒んだのだ。

大学卒業後はどこにも就職せず、二年ほどアジアから欧州を放浪した。

「一体、なんのつもりだ」

父から非難されても平気だった。

「安心しろよ。親父を頼ったりしないから」

大学在学中に引っ越し屋のバイトをして金を貯めていたのだ。

最初の頃、東南アジアでは水が合わなくて食中り《しょくあた》を起こして苦しんだものだが、弱音を吐いて帰国でもすれば、きっと父に笑われるだろうという思いが踏み留まらせた。次第に悪環境にも慣れて体調を崩すこともなくなった。薄汚れた宿でも熟睡できたし、怪しげな繁華街へ足を踏み入れたりもした。いつの間にか妙な度胸がついていた。そんな自分を何か大きなことをやっているヒーローのように思えたものだ。

放浪の旅を終え、ろくすっぽ連絡もせず、ひょっこりと舞い戻った私を父が許すはずもない。

「勝手なことばかりしおって、もう自分で好きに生きていけ」

少しばかり灸《きゅう》を据えようと思ってのことだったのだろう、私は柿《かき》の木《き》坂《ざか》の実家から出された。しかし、これ幸いとばかりに、中学、高校で陸上部の先輩だった梶山が社長を務める会社に世話になった。梶山は二十代前半という若さで、急死した父親の跡を継いでいた。うちの家業と同じ業界で働くとは皮肉なものだったが……。

引っ越し屋のバイトで経験済みとはいえ、肉体労働はキツい。が、父親の手前、簡単に音を上げておめおめと逃げ出す訳にもいかない。何より、先輩に申し訳ない。

勿論《もちろん》、辛《つら》いことばかりではなかった。同世代の連中と現場で汗を流した後に飲むビールの美味《うま》さは格別だ。休みの前日は、明け方まで飲み明かしたこともある。

だが、そんな気のいい仲間を邪険に扱う元請けの現場監督がいた。

「お前ら、グズグズしてるんじゃない。この役立たずが」

その様は何かの鬱憤《うっぷん》ばらしをするように映った。腹が立ったが私は何もしなかった。

すると梶山が「監督、靴を舐《な》めろって言うならオレが舐めますよ。だけど、こいつらにそういう言い方をするのはやめてもらえませんかねえ」と迫った。その男は不機嫌そうに黙って去った。

「社長、あんなこと言って仕返しされないっすかね」みんなが仕事を止められやしないかと心配して声を掛けた。

「一生懸命頑張ってくれてるお前らを守れなくて、社長もへったくれもねえだろ。なーに、切るって言うんなら切ってみろ」

今にして思えば、向こう見ずな若さの為《な》せる業だったのかもしれないが、そんな梶山の側にいることが誇りに思えたものだ。

が、私が三十を目前にした頃、父が突然倒れた。接待をしていた向島《むこうじま》の料亭で、手洗いに立った廊下で倒れ、そのまま帰らぬ人となった。死に目に会えなかった現実が、私の胸を激しく揺さぶった。これで私は親のいない人間になってしまった……。

父の葬儀に多くの弔問客が訪れる中、私は父の遺影をぼんやりと眺め、ふと昔、父から言われたことを思い出した。

「毅《たけし》、あのトンネルは、お父さんの会社が造ったんだぞ。お前はお父さんの跡を継いで、いつかもっとでっかい仕事をやれ」

子どもの頃、千葉に出掛けた帰り道で、道路の前方にぽっかりと口を開けるトンネルを父が指差しながら笑った。

四十九日の法要が済み、父の書斎の片付けをしていたとき、ガラス棚に並んだ黒革の手帳に目が留まった。その日に会った人間の名前や場所などが記してあり、日記と呼ぶには短い文面が、太いブルーのインクで書き込まれていた。そんな文に交じり〝連絡なし。毅は元気にしているのだろうか〟〝将来のことを考えているのだろうか。案じられる〟などと、紛れもなく私のことを心配しての走り書き……。父親というものに初めて触れた思いがして、涙が頬を伝った。

しかし、父はそんな最期を迎えるとは露程も思っていなかったのだろう、遺言のひとつも遺《のこ》していなかった。その結果、ひとりっ子の私が、父の財産を譲り受けることになった。私は突然、第五京浜建設の筆頭株主になったのだった。

取締役会は重苦しい雰囲気のまま進んだ。

「下請けに更なる努力をしてもらうしかないか」土木部長の河本《こうもと》が難しい顔をして腕を組む。

努力と言えば聞こえはいい。つまりはもっと無理を強いるということだ。

「もう彼らは充分すぎるくらいに荒波を受けている。乾いたぞうきんを絞るように下請け会社も必死に踏ん張ってるんですよ」私は反論した。

私はデスクワークも手抜かりなくこなしつつ、極力、現場に足を運び、熟練工や作業員と直《じか》に接し、声を掛けて廻《まわ》った。みな、汗水垂らして頑張ってくれているのだ。そんな行動をスタンドプレーだと揶揄《やゆ》する者もいるが、知ったことではない。

「しかしですね、うちを赤字にしてまで、下請けの利益を優先する、そんな専務のような温情主義を貫いていたら、私たちの首が絞まってしまう」今村が首を振る。

「だが、まだ道はあるはずだ」私は身を乗り出した。

「致命的なダメージを受けてから起き上がれるほど甘い業界じゃないですよ」今村が苦笑する。

「でも辛いときこそ、上が我慢しなきゃ、景気が回復してイザってときに協力なんか得られないだろう」私は食い下がった。

「専務、お言葉ですが、今がそのイザというときなんです」今村は一歩も引かない構えだ。

私は椅子に深く腰掛け直して黙った。

するとこれ以上の〝努力〟が無理というなら、本当に必要な下請けかどうか選別するというのも選択肢のひとつだ」それまで黙っていた社長が口を開く。

現社長の西平《にしひら》は、父の妹の連れ合い、つまり義理の叔父《おじ》だ。

叔父はプロパーではない。偶然だが、元々は我が社のメインバンクに勤めていた。叔母《おば》と結婚し、身内となり、父との接点ができた。結婚後も銀行勤めを続けていた叔父だが、三十代の半ば、細かな経緯《いきさつ》は知らないが、父により経理担当として会社に迎えられた。

「選別って、つまり切られる下請けが出るってことですか」

「ま、そういうことだな」

「しかし、そんなことをすれば五志会《ごしかい》だって黙ってないでしょう」私が反論した。

〝五志会〟とは、我が社の役員と下請け会社の社長たちで構成する組織だ。経営に口を挟むようなものではないが、一致団結し士気を高め、共存共栄を図ろうという親睦会《しんぼくかい》だ。

「そうだろうな。ただし、納得できる説明がつけばどうだ？」

「説明？」

「五志会がなくなる訳じゃない。とりあえず、一、二社でいい。で、梶山土木を手始めにというのはどうだ？」社長はゆっくりと私に顔を向けると尋ねてきた。

あからさまな私への当てつけだ。

「叔父さん……いや社長、あそこはオレの」

「知ってる」

副社長として父を支えてきた功績は私も認める。亡くなった父の代わりに、叔父が社長になることにも異論はなかった。

私が入社してからは、いずれは私が社長になるだろうと誰もが思ったに違いない。だから西平は、それまでのリリーフ社長だと……。西平自身も対外的には「次は毅くんです」と言っていたが、実は内心面白くなかったようだ。加えて、娘が出身銀行の男と結婚したことで、欲が出たのだろう。将来、その婿を自分の後釜《あとがま》に据えようと画策していると、また叔母もそう望んでいるという声が聞こえてくる。最近の私に接する叔父の態度を考えれば、単に噂話だと聞き流せなくなった。親の後ろ盾もなく、いくら創業者の直系といえども、入社を拒否した経緯を持つ外様《とざま》のような存在では、いささか分が悪いことは肌で感じる。

「じゃあ、どうして?」

「専務と強いパイプがあるところを切ったとなれば、厳しい状況がより伝わる。まあ、それに梶山は、うちとは十年ちょっとのつきあいだ。他社とのつきあいはもっとずっと長い」

「つきあいは短いかもしれないが、彼らほど真面目に取り組む会社はない」

「ああ、それは認めよう。しかし、あそこは五志会の一員ではあるが、実質的なレベルは孫請けに等しい。それにだ、彼らの弱点は特殊な技術を持たないというところだ。人数合わせの、言わば人入れ会社の要素が強い。ま、岩谷専務と癒着しているというやっかみの声もなくはない」

「冗談じゃない。誰がそんなことを」と、私は机を叩《たた》いた。

「いや、そう思う者もいるだろうって話だ。さて、どうだね？」

「ちょっと、待ってください」

私を除く他の役員八名は異を唱える様子はない。

「あとの者は異議なしと認める。そういうことだ、毅くん……いや失礼、専務だったな。ただ、どうしても専務が切れないと言うなら、他の者が引導を渡しに行っても構わないが」

社長は淡々とした口調で、私にそう言ってのけた。

握った拳《こぶし》の力が全身に伝わり、私の身体が小刻みに震えるのが分かった。

くそっ、オレと先輩の何を分かってるっていうんだ。こんなやつらにオレたちの絆《きずな》を断たれるくらいなら、いっそ……。

「オ、オレが直接、話をつけてきます」私はそう言って椅子から立ち上がった。

「ほー、そうか。それでこそ重役の責任を全うするというものだな」社長が頷《うなず》いた。

会議が終了し、重い腰を上げようとすると「毅くん」と叔父に呼び止められた。

叔父は他の役員が部屋から出るのを確認すると「君はまだまだ甘いな。お陰で私は気持ちが穏やかでいられる」と、結んだ口元を片方だけ上げてにやりと笑った。

本来、敵には腹の中を見せないものなのだろうが、その物言いは臆《おく》する様子がなかった。見くびられたものだ。

「君は前社長に似ているのか、似ていないのか……」

叔父は独り言のように呟《つぶや》いた後、座ったまま椅子を反転させると外を見た。ガラス窓の向こうに、大崎《おおさき》のビル群が空に伸びていた。

「君のお父さんは業績を伸ばした功労者だよ。豪快な反面、気遣いのできる人だった。もっとも外の人にはね。だから内側の私など、いつも顔色を窺《うかが》っていたよ」

確かにそうだったかもしれない。父は入院中の母を見舞うより、五志会の集まりを優先するような人だった。ベッドに横たわった母が「お父さんはちっとも顔を出してくれない」と、愚痴をよくこぼしていた。そんな寂しげな母の横顔がふと浮かんだ。

「ああ、そういえばお宅の庭のツツジは咲いたかね？」

父が亡くなった後、私は柿の木坂の実家に戻った。そして今は妻と息子と一緒に住んでいる。芝生の庭を囲むようにツツジが植えられ、この季節になるとピンクの花を咲かせる。

「ツツジ……それが？」

「昔、妻と一緒にお宅にお邪魔したとき、お父さんからこっぴどく怒鳴られたことがあったなあ。あのとき庭にツツジが咲いていてね。ふと、そんなことを思い出した」

そんなことがあったのかもしれないが、私は知らない。

「旧友に熱心に勧められたとかで、お父さんは不動産投機に熱を上げそうになってね。それもバブルの後期だ。ある意味、人がいいねえ。だが私は、ぼちぼちその危うさを感じ取っていたものだから、指示されるたびに反対したんだ。本業に影響がでますってね。私は手堅いんだ。それで叱られた。でも、私が正しかったことは証明された。不動産に手を染めた同業者がどんな目に遭ったか。まあ、君のお父さんのことでは、他にもっとややこしい後始末もしたもんだ。昔は、まあ、この業界、色々あったから、その裏事情ってやつがね。随分と冷や汗もかいたが、鍛えられたよ」

「叔父さん、何が言いたいんですか？」

「毅くん、私は気づいたんだよ。私に才能があるとすれば耐えることなんだ。この不況時にうってつけの人間だと思わんか？」

私は返事をしなかった。

「言わば、家康《いえやす》といったところだった」

「だった？」

「今は秀吉《ひでよし》。ま、成り上がり者だと自覚している。だが、無理をして朝鮮出兵なんてばかげたことはしない。毅くん、歴史っていうのはためになるなあ。先人の失敗を学ぶことができる」

「しかし、秀吉は秀頼《ひでより》に執着するあまり政道を失ったと……。ああ、それはテレビドラマの話ですね」

一瞬、私の厭味《いやみ》に叔父の横顔が歪《ゆが》んだ。

「ふん、なるほど……。じゃあ、こういうのはどうだ。こんな私でも、今は、なろうと思えば信長《のぶなが》にでもなれる。が、私は本能寺《ほんのうじ》でやられるようなことはしないよ。警護は万全にする。もし、光秀《みつひで》がいるなら放置せず先手を打つだけのことだ。まずは評判を落とし孤立させる。そうすれば誰も味方する者はいなくなるからねえ。ただ……」

叔父はいったん言葉を区切ると私に向き直って続けた。

「私の嫌う光秀は、少々厄介な武器を持っていてね。血筋と株券っていう厄介なものをね……」


結局、パチンコ屋の前で三本のタバコに火を点けたが、すべて苦い味がした。

「よし……行くか」

私は溜《た》め息をつくと歩き始めた。

環七《かんなな》通りに面したビルに〝梶山土木〟の事務所がある。私が転がり込んでいたときは、もっと駅から離れたボロいビルにあった。

エレベータを使い、三階へ。磨《す》りガラスの向こうを覗《のぞ》いて事務所の様子を窺った。ここまで来て、ドアノブになかなか手を掛けられずに佇《たたず》んだ。

私は深呼吸をすると、事務所の中に入った。

「こんちわ」

「よお、タケ」

梶山土木の二代目、梶山誠一《せいいち》が私の姿を見つけるなり、そう言って手を上げた。

「社長、それはマズいっしょ。仕事を回してくれる会社の御曹司をそうやって呼んじゃ」

と、梶山の傍らで電卓を叩いていた白髪の富永《とみなが》、通称トミさんがからかうように笑う。

事務所にいたのは梶山と富永のふたりだけだった。

「だって、タケは後輩なんだしよ」

「だけど、立場っつーもんがね。そうでしょ、ねえ、専務？」

「トミさん、いいんだよ。カジさんの言う通り。オレたちは先輩後輩の仲なんだから。それに、トミさんだって昔みたいに〝タケちゃん〟って呼んでくれればいいのに」

「そんなことはできないですよ」富永は慌てて手を振った。

「あ、そうだ、トミさん、これ」

私は内ポケットから封筒を取り出した。

「手土産っていっても煎餅《せんべい》なんかよりこっちの方がいいと思って、ビール券。みんなで飲んでよ」

「さすが専務。やつら喜びますよ。じゃあ、有り難く頂戴《ちょうだい》します」

富永は、両手を揃えて封筒を受け取ると、それを事務所の神棚に供えた。

「で、専務殿、直々のお出ましとは、何か特別の用件でもあるのか」

「カジさん、勘弁してくださいよ」私は首を振りながら苦笑いをした。

「ははは、冗談だよ」

「電話で言った通り、たまには先輩とサシで一杯やりたくて。ま、愚痴でも聞いてもらおうって魂胆だけですよ」

本当の話など、この場で切り出せるはずがない。いや、差し向かいになったとしてもうまく言えるかどうか、それも怪しい。

「タケ、悪い。もうちょっと待っててくれ。ぱぱっと伝票を片付けちまうから」

「いいですよ」

私は空いていた灰色の事務椅子を引き出すと、そこに腰掛けた。

最近は頻繁に顔を合わせられなくなってしまったが、梶山とのつきあいは、かれこれ三十年近くになる。

私たちが通っていた〝明立学園《めいりつ》〟は小学校から高校まである私学の男子校だ。

私は、今で言う〝お受験〟をさせられ、小学校から通った。親掛かり的な要素の強い小学校受験に対して、中学から入学する者には学力が必要だ。中学では小学校から上がった〝内部生〟と中学入試を突破した〝外部生〟が入り交じって机を並べる。熾烈《しれつ》な受験を勝ち抜いてきた外部生から見れば、のほほんとした内部生は甘っちょろく映っていたのかもしれない。

私は中学生になると陸上部に入った。小学校の運動会の徒競走で一着になったという程度の動機だった。

梶山はひとつ先輩の外部生だった。二年生ではあったが、既に梶山は八百メートルの選手として、各大会で常に上位に食い込む成績を収めていた。

入部して間もない頃、ちょっとしたいざこざがあった。

私は練習が始まっていたにも拘《かか》わらず、校庭の隅で、小学生時代から仲のよかった友達と固まって話をしていた。それを部の三人の先輩に見つかってしまったのだ。外部生の二年生たちだった。すぐさま、部室に連れていかれ、責められた。

「一年のくせにサボってんじゃねえよ」

「こいつ、内部だろ。大体、内部のやつは生意気なんだよ」

何を言われても素直に謝ってしまえばよかったものを、ひとりっ子の私はわがままに育ったせいか、謝ることを知らなかった。私は、プイとふて腐れて横を向いた。

「なんだ、お前」

その声と同時にこめかみの辺りに平手が飛んで来た。私はそれをかわそうとしてバランスを崩し、壁に頭をぶつけた。自爆だ。痛みに涙が溢《あふ》れ出した。

「何やってんだ、こいつ」

「あれ、こいつ泣いてやんの」

先輩たちは、泣く私を見て腹を抱えながら大笑いだ。それが悔しくて起き上がると、先輩のひとりに飛びかかった。ところが簡単にあしらわれ、三人の間で交互に突き飛ばされた。

と、「何やってんだ、お前ら」という声がした。梶山だった。

「カジ、こいつさ、練習サボった上に、オレらに歯向かってきてさ」

梶山は「チッ」と舌打ちすると「ほっとけよ」と言った。

「でも、カジ……」

「いいから。練習するぞ」

梶山に促されて、三人は「ばーか」と言い残し、梶山と一緒に部室から出て行った。

左のおでこに触れると、十円玉くらいの大きさのコブができていた。

「痛っ」

私はよろよろと立ち上がると水飲み場に行き、濡《ぬ》らしたハンカチをそっとコブに当てた。

そしてその場にへたり込んだ。

どれくらいそうしていただろう。辺りが西日に染まり始めた頃。

「おい、お前」

その声に顔を上げると、制服に着替えた梶山が立っていた。私は少し身構えた。

「殴りゃしねえよ。さあ、帰るぞ」

意外な言葉にきょとんとしていると「お前、こんなところにひとりでいたら、またやつらにやられるぞ。駅まで一緒に帰ってやる」と、梶山は私のシャツの肩先を引っ張った。

「え？」

「オレは弱い者いじめは嫌いだから。さあ、立て」

駅へ向かう道すがら「お前、やるんだったら、真面目に練習しろよ」と言われた。私はこっくりと頷《うなず》いた。

駅のホームで「明日《あした》、ちゃんと来いよ。じゃあな」と梶山は手を振って笑うと、反対方向の電車に飛び乗った。その姿がたまらなく格好良く思えた。

それが、梶山とのつきあいの始まりだった。以後、私は高校を卒業するまで練習に励み、梶山はそんな私を認めてくれた。

選手としては、大した記録を残せなかったが、その代わりに、梶山という〝兄貴〟を手に入れたのだ。


「よーしっ、終わったあ」梶山が伸びをする気配に、私は顔を上げた。

「タケ、待たせたな。ああ、すまん、お茶も出してなかったな」梶山は頭を掻《か》いた。

「そんな気遣いは無用ですよ」私は手を振った。

「トミさん、戸締まり頼んだよ」

「はい。じゃあ、専務、私はここで」

富永が椅子から立ち上がり、私に深々と頭を下げた。その姿に一瞬言葉が詰まった。

「……ああ、トミさん、また、顔を出します」

そう言ったものの、次にどの面下げて会うことができるというのだ。

気まずい思いを引きずりながら、梶山の後に続き、事務所を出た。

エレベータに乗り込むと「それは銀座仕立てか？」と、梶山は私のスーツを指差した。

「え、ああ、まあ」

「オレなんか、毎日この仕事着だ」

梶山はグレーの作業服を羽織っていた。胸にはオレンジの糸で〝梶山土木〟と刺繍《ししゅう》してある。その文字を見つめると胸が締め付けられる思いがした。

「ホルモン焼きでいいか？」

「あ、オレは何でも」

「銀座仕立てに匂いが付いたらすまんしなあ」

「大丈夫ですって」

「そっか。じゃあ、そうしよう。なーに、地元の仲間が、去年、この近くに店を出してな。まあ、オレくらい行ってやらないと、ガラガラじゃ可哀想だからと思ってさ。もっとマシな店に連れて行きたいところだが、まあ、お前に見栄《みえ》を張っても、懐の中身は知られてるからな」

元より、梶山に支払いなどさせる気はない。大体、それなりの場所を用意しなければならないのはこっちの方なのだ。

「麻布十番《あざぶ》辺りでワインとか飲んでるお前の口には合わんかもしれないが、ははは」

そう言われて、ふと西平の厭味《いやみ》を思い出した。

「毅くん、夜な夜な麻布界隈《かいわい》を飲み歩いてるそうじゃないか。経理から、交際費の領収証がたんまり回ってくるって苦情が入ってるぞ」

今村がそんなことを言いつけて、叔父のご機嫌取りをしているのだろう。あるいは、叔父自身が吹聴《ふいちょう》しているのかもしれない。

勿論《もちろん》、仕事絡みなら領収証は貰《もら》う。だが、友達と飲むときは別だ。そのあたりはちゃんとわきまえている。

「なんでもかんでも、経理に渡してないですよ。むしろ自腹で飲んでます。その方が気分もいいし、それくらいの金なら充分にありますから。ご心配なく」と、言い返した。

「カジさんまで……。ホント、勘弁してくださいよっ」

「ん？　オレ、何か気に障ること言ったか？」

思っていたより語気が荒かったのか、梶山は心配そうに尋ねてきた。

「いや、そんなんじゃ。ちょっとくだらないことを思い出したもんで」

「そうか。それならいいけどよ」


表通りから一本狭い路地に入ると、梶山が「ここだ」と顎《あご》をしゃくる。

風に揺れる赤い暖簾《のれん》を潜って引き戸を開けると「いらっしゃーい」と威勢のいい声が響いた。

梶山がカウンターの中にいた法被姿の中年男に「よ、ケンちゃん、儲《もう》かってるか」と尋ねる。

「おう、カジやん」

「奥の席空いてるか。訊《き》くまでもないな。どうせずっと空きっ放しか」

「うるせーよ」と、ケンちゃんは笑った。

梶山は慣れた様子でつかつかと店内を進む。私たちは一番奥のテーブル席に向かい合って腰掛けた。

「ケンちゃん、こっち生中ふたつな」

「あいよーっ」

店内には私たちの他に三組のグループがいて、銅製の七輪が置かれたどのテーブルからも煙が上がっていた。

おそらくバイトなのだろう、ケンちゃんと同じ法被を着た女の子が「はーい、生中でーす」と愛想良くビールを運んで来た。

「おお、来た来た。じゃあ、ひとまず乾杯だ。お疲れっ」

梶山がそう言って差し出すジョッキに私のジョッキを合わせる。喉《のど》をゴクゴクと鳴らして、梶山がジョッキを傾ける。私もビールを喉に流し込んではみたものの、キレもコクも味わえる気分ではない。

「ほーっ、うめえ」梶山がジョッキをテーブルにどんと置く。

「タケとこうやって飲むのもホントに久し振りだな」

「そうですね。最近はあっという間に月日が過ぎてしまうから」

「そうだ、タケ。そろそろおふくろさんの命日じゃねえか」

「よく覚えてますね」

母の葬儀の間、梶山は親戚《しんせき》の誰よりも親身になって私に付きっきりでいてくれた。

「とか言ってるが、ここんところ、ご無沙汰《ぶさた》で線香の一本もあげずに、すまんな」

「いや、その気持ちだけで、うちのおふくろも喜びますよ。あ、オレの方こそ、おばさんにはご無沙汰しちゃって。随分、メシを食わしてもらったのに……。おばさん、元気ですか？」

「とりあえず元気だよ。相変わらず口が達者で、いっつも女房とやり合ってる。それでも最近じゃ膝《ひざ》が痛いとかなんとか、まあ大変だ。寝たきりにでもなられたら、また困るし。今しばらく丈夫でいてほしいんだが」

と、そこへ「特上レバ刺し、お待ち」と、ケンちゃんが直々に皿を運んで来た。

「そんなの頼んでねえぞ」

「オレからのサービスだ。ダチが来たのに何も出さねえってことじゃカッコがつかねえだろ」

「そりゃあ嬉《うれ》しいが、いちいち知り合いが来たからってサービスしてたらやっていけねえぞ」

ふたりが交わす言葉に、会議での今村とのやり取りを思い出す。が、梶山たちの会話の根っこには互いへの思いやりがある。

「そうだ、ケンちゃん。一応、紹介しておく。明立のときの後輩」

「岩谷毅です」私は頭を下げた。

「うちに仕事を回してくれてる大会社の専務様だ。ま、こんな安い店には二度と来てくれないだろうけどよ」と、梶山は大声を出して笑った。

「ちょっと、カジさん」

「こいつは、昔っからひと言多いんだよね。でも、ここはいいやつだから」と、ケンちゃんは自分の左胸を人差し指で突《つつ》いた。

「お、そんな褒められちゃうと、金使っちゃうかなって気になるぞ」梶山が背筋を伸ばして胸を張る。

「専務さん、こいつがうちでたくさん金を使えるように、これからもどんどん仕事回してやって」

「あ、はい」私は短く答えた。いや、それ以外に言いようがなかった。

「よし、ケンちゃん。うまいもん、どんどん運んで。それからグレープフルーツサワーも」梶山が上機嫌で言う。

「はいよ、喜んでえ」ケンちゃんは声を張り上げながらカウンターへ戻った。

テーブルには、次々と皿が運ばれて来た。

梶山が網の上に、ハラミ、コブクロ、マルチョウを載せる。油が滴りジュウジュウと美味そうな音を立てた。

「カジさん」

「ん？」

「いや、その、ああ、良孝《よしたか》の受験、どうだった？」

本題を切り出そうとしたのだが言い出せず、梶山の息子の受験話にすり替えた。

「あれ、言ってなかったか。てっきり言ったと勘違いしてたな」

「いや聞いてない」

「受かったよ。第一志望の〝東星《とうせい》〟に」梶山は嬉しそうに目尻《めじり》を下げた。

「そりゃあ大したもんだ。明立よりもっと難関だからなあ。じゃあ、何かお祝いを」

「だったら、iPod を頼む。あいつ、欲しがってたから」

「お安い御用ですよ」

「すまんな。だが、まだまだこれから学費もかかるなあ。頭が痛い。ま、それでも、あいつが毎日、楽しそうに通ってると嬉しいよ。あいつな、将来は弁護士になるんだとさ」

「ほー、弁護士にね」

「オレの叶《かな》わなかった夢のリベンジをしてくれるんだとさ。死んだ親父の夢でもあったけどな」

「え、カジさんの親父さんの？」

「ああ、本当のところ、親父はオレに継がせたくなかったんだ。酔っぱらうと、お前は資格商売をやれって何度も言ってた。おふくろが言うには、親父は昔、この辺りじゃ有名な不良だったらしいや。本人は勉強は嫌いじゃなかったし、頭も良かったって言ってたがな。でも、祖父《じい》さんって人が、博打《ばくち》好きな人で年中、借金取りに追われてたようだ。で、親父はグレちまって、ブラブラしてたんだが、近所の土建業をやってたおっさんに拾われて、この世界に入った。それから独立してあの会社を作った」

梶山は焼けたハラミを私の皿に取り分けた。

「すみません」

「昔の親父の写真を見たんだが、アイビーで固めてな、ま、ちょっとした伊達男《だておとこ》気取りだった。本人はスマートに生きたかったんだろうと思ったよ。親父なりのコンプレックスってやつじゃなかったのか。実はオレな、明立の小学校の受験もしたんだ。が、見事に落ちた。親父は、自分の学歴のなさと、ガサツな生業《なりわい》のせいだと思ったらしい。あそこの親、医者とか弁護士って多いだろう。だから、オレを先生って呼ばれる仕事に就かせたかったんだとさ。中学入試を突破したときも喜んだが、法学部に受かったときは、そりゃあ喜んでな」

梶山は宙に視線を向けた。きっと父親の笑い顔でも思い浮かべているのだろう。

「ところが、お前も知っての通りだ。オレが大学二年のときに、親父は事故で。しばらくは、おふくろが親父に代わって会社の切り盛りをしていたが、まあ、無理があった。なんせ男社会だから。あっという間に経営が傾いた。妹も高校生だったし。大学どころじゃなくなっちまって、中退して会社を継ぐことにした。あ、この経緯は何度も話したっけな」

「ええ。でも、大学のことはちょっともったいなかった気もしますね」

「だけどな、まともに卒業したからといって、その先の司法試験に受かるっていう保証はなかった訳だし。オレは貧乏くじを引く人生なんだろう。だけど、良孝にまで、そんな目に遭わしちゃいけねえとは思うんだが……」

箸《はし》を持つ梶山の手が止まった。

「なあ、タケ。今日のホントの用事はなんだ?」梶山は私の目を見ずに尋ねてきた。

「カジさん……、その、実は」言葉に詰まる。

「やっぱりなあ……。悪い話ってことか」

梶山は苦笑いをして、グラスの中のグレープフルーツサワーを飲み干した。

「先週末、六号の現場で後藤《ごとう》さんに会った。そんとき、うちには技術がないとかなんとか、奥歯に物が挟まった言い方してたんでな」

後藤とは五志会のメンバーで〝後藤工業〟の社長のことだ。会議の内容が漏れていたということだ。いや意図的に流したのだろう。

「で、どういう結論なんだ?」

「カジさん、すまない。オレのせいなんだ、オレの、オレの力不足だ。本当にすまない」

私は両膝《ひざ》に握った拳《こぶし》を載せ、額がテーブルに付くくらい頭を下げた。

「タケ、やめろよ。頭を上げろ」

「しかし」

「いいから、やめろ」

私はゆっくりと顔を上げて梶山を見た。

「で、どういうことなんだ?」

私はぽつりぽつりと、会議での話を正直に伝えた。

梶山は時折、網の上で焦げかかったコブクロを箸の先で突きながら、私の声に耳を傾けていた。

「つまり、うちのお家騒動に巻き込んでしまったようなもんです。本当の狙いは、オレの評判を落として、社長にはさせないこと。だから、カジさんのところには言いがかりをつけてるだけなんだ」

「それもあるかもしれないがな。確かに、うちには特殊な技術がある訳じゃない。そこを言われれば言葉に詰まる」

「だけど、みんな現場で一生懸命汗水垂らしながら頑張ってくれてるっていうのに。本当

化してるかなって」


に申し訳ない」

私はまた頭を下げた。

「タケ。オレだって悔しいし、認めたくはない部分もある。だがな、世の中の環境の変化っていうものに順応できなかったものは滅びる運命にある。恐竜だってそうだったそうじゃないか。ま、うちはちっちゃな羽虫のようなもんだけど」

「こんなことになるなら、ずっとカジさんのところで働いていればよかった」

「ばか言え。そんなことがいい訳ないだろ」梶山が呆《あき》れる。

「いっそのこと、株を外部に売り払って会社と縁を切るということもアリかなって」

「バカヤロー、そんなことしてみろ。大混乱になっちまう。オレのところだけじゃなく、五志会、いいや、どれだけの会社と人間に影響がでるか、そこんところが分かってるか」

梶山がテーブルを叩《たた》いた。その音に他の客の視線が集まった。

「だったら、そうだ、カジさん、うちに来てくれないか？」

「ん？」

「すぐに役員は無理にしても、それなりのポジションで力を発揮してもらえれば。特に、現場で若い連中を引っ張ってもらえないかな」

「おう、いいねえ。そうすれば、お前に毎晩お供して、麻布でワイン三昧《ざんまい》か。おお、それはいい……」梶山は大きく頷《うなず》いた。

私はほっとして肩の力が抜けた。だが、すぐに梶山は険しい顔つきに戻った。

「……と、言いたいところだが。うちの連中をほったらかして、自分だけ、はいそうですかって訳にはいかない。なあ、タケ。うちには、世の中から弾《はじ》き飛ばされて行く場所のないやつもいる。糸が切れれば、どんな悪の道に足を踏み入れるかもしれない。かと思えば、先月赤ん坊の生まれたやつもいる。こっちがいいかげんうんざりするくらい、顔を合わせるたびによ、ケータイの待ち受けにした娘の写真を見せてニタニタだらしない父親の顔をする。トミさんみたいに、もうリタイアしてもいい年の人だって、孫に小遣いやれるのが嬉《うれ》しいって働く人もいるんだ。他所《よそ》んちのことを心配するほど立派な立場じゃないってことくらい承知してる。有り難い申し出だが、でも自分だけ助かろうって訳には……。痩《や》せ我慢だろうが、伊達の薄着だろうが、ま、あるいはただの馬鹿者かもしれんが、オレには……」

梶山は大きく首を横に振った。

「だけど、カジさん、それじゃあ……」と、尚《なお》も私は食い下がろうとした。

「タケ、もういい。お前の気持ちはよく分かったから。ありがとうな」

梶山が礼を言いながら頭を下げた。

梶山の性分なら、私の申し出をきっと断るだろうと予測していたものの、受け入れてくれそうな気配に、自分の罪が少しでも軽くなるのではないかと、ついぬか喜びをしてしまった。そんな自分が恥ずかしい。

「カジさん……」

「はい、暗い話はおしまいだ。さあ、飲め、食え。ケンちゃんがどんどん持って来るぞ。おう、ケンちゃん、お代わりだ」

「あいよーっ」

ふと気づけば、いつの間にか店内は満席となり、賑《にぎ》やかな声があちらこちらで飛び交っている。そんな雰囲気の中で、私は喉《のど》の通りの悪いホルモンをビールで胃の中に流し込んだ。

それからの梶山は何事もなかったように、ただ飲んで食べた。そして昔を懐かしむように、陸上部での想い出を語った。

「さあて、ぼちぼち帰るかな。女房に怒られる前によ」

梶山は壁の時計に目を向けた。十時を少し回っていた。

「なんであれ、久し振りにタケと飲めてよかったよ」と、梶山が伝票に手を伸ばした。

「カジさん、それはオレが」と言い、横取りをする。

「ばか言え。後輩に奢《おご》らせちゃカッコがつかねえだろ。ま、もっとも、料亭だったらビビってたところだがな。ま、ここはオレの顔を立てろ」

口調の強さとは裏腹に、梶山はやさしい顔で笑ってみせた。

「じゃあ、ケンちゃん、お愛想」

「毎度ありっ」

威勢のいい声が背後から聞こえた。

店の外に出ると「ごちそうさまでした」と私は礼を言った。

「おう」と短く頷くと、梶山は表通りへ向かった。私も後に続いた。

「タケ、うちのことは気にするな。ま、そう言っても気になるだろうけどよ。だけど、オレだって、このまま死ぬ訳にはいかない。オレもちょっと目が覚めた。ひと踏ん張りもふた踏ん張りもしてみせる。そして、お前のところから、是非協力してくれって頼まれるようになってやるさ。もし、そうなったら、頼まれてもアッカンベーしてやるけどな、ははは。なあ、タケ、だから、お前も闘え。闘って闘って必ず勝て。勝って、社長になって、下請けを守れるだけの力を身につけろ。内部生はおぼっちゃまだって笑われないようにな」

「はい」

「じゃあ、それまでは、もう顔を出すな」

立ち止まって星空を見上げた梶山の顔には、やさしそうな笑みが浮かんでいた。

「じゃあ、またな」

梶山が手を上げて歩き出す。

その響きにはずっと昔から変わらぬ温かさがあった。あの日、駅のホームで手を振った少年のままの……。約束をするでもなく、また明日《あした》会う。そんな響きだ。だが、今度会うときは、梶山との約束を守るときだ。

ふらふらと遠ざかる梶山の背中に深く頭を下げた。

オレは負けませんから。絶対に負けません。私はそう誓った。

泣くものか。そう思ったが、どうにも堪《こら》え切れず、溢《あふ》れた涙が歩道を踏みしめた靴先に落ちる。慌てて手の甲で拭《ぬぐ》った涙は、熱かった。

ワイシャツの裏表

髙島屋《たかしまや》の前を通って、多摩堤《たまづつみ》通りを渡り、多摩川《たまがわ》の河川敷へ向かった。兵庫島《ひょうごじま》公園の河川敷に春から晩秋にかけての期間限定でイタリアンの店がオープンする。結婚をして二子玉川《ふたこたまがわ》に住んでから三年が過ぎ、夫との間でも「今度行ってみようか」と幾度となく話題にのぼった地元のレストランなのに、足を運ぶのはこれが初めて。近くだからいつでも行けると思っていると、なかなか行けなかったりするものだ。何事も思い立ったら、すぐ行動しなければいけないのだろう。

その店で久し振りに留理子《るりこ》とランチの約束をした。

留理子は独身で、神田《かんだ》の出版社で女性誌の編集をやっている。彼女とは大学時代から数えて十五年来の友人、いいや腐れ縁という表現の方がしっくりくる間柄だ。性格は正反対でも、磁石のS極とN極のように違うから引きつけられるということなのだろう。

公園に続く兵庫橋の両脇に、釣り糸を川面《かわも》に垂れる年配の人の姿がある。何が釣れるのだろうと、ウキを覗《のぞ》きながら短い橋を渡った。

青々と葉の茂った樹木の向こうに、白いテント屋根が見えてくる。遊歩道から建物の表に回り込むと、店先には布地のパラソルが並べられ、その下に白いクロスの掛けられたテーブル席があった。満席に近い状態だ。

「すみません、予約しておいた中谷《なかや》ですが」

「はい、こちらへどうぞ」

店のスタッフが、いちばん落ち着けそうな奥のテラス席に案内してくれた。この店には室内席もあるが、やはり天気のよい日は表がいい。予約の際にその席をお願いしておいた。

大きく張り出したパラソルが直射日光を遮ってくれる。とはいえ、初夏の日差しは、足下一面に生えた草に反射して少しばかり眩《まぶ》しい。目を細めながら、前方を見渡すと、コンクリートの橋桁《はしげた》に支えられた鉄橋の上を銀色の車両が走り抜けて行く。椅子を引いて腰掛けると、多摩川から渡ってくる風が頬に当たる。胸に引っ掛かるモヤモヤとしたものがなければ、もっと心地よく感じられたのに……。

バッグからケータイを取り出して時間を確認する。二時ちょっと前だ。ランチというには遅い時間だが、留理子の都合に合わせた結果、この時間での約束になった。ただ、それでも留理子は遅刻するに違いない。私はオーダーを待ってもらい、出されたレモン水のグラスに口をつけた。

テラス席は犬の同伴もできるので、小型犬を膝《ひざ》の上に乗せた女性客がふたりいた。不細工な顔だが愛嬌《あいきょう》のあるパグが目をくりっとさせながら私を見た。私は唇を尖《とが》らせるとチッチッチッと音を出して応《こた》えた。

案の定、留理子は十五分遅れで現れた。

「ごめん、ごめん。ちょっと前の打ち合わせが延びちゃってさ」

留理子との待ち合わせなら、この程度の遅れなど驚きはしない。むしろ今回は早いくらいだ。

「全然。慣れてるから」私は少し意地悪そうに鼻の辺りに皺《しわ》を寄せた。

「毎度、すみませんねえ」

留理子は悪びれるふうでもなく、肩から下げたクリーム色のトートバッグを空いている椅子に置くと「ああ、おなか空《す》いた。っていうか、いい天気だしビールいっちゃおうかな」と、笑った。アルコール好きな留理子らしいひと言だが、おそらく天気の善し悪しは関係ない。

「まぁ、飲まなきゃやってらんないってこともあるし。さゆりもつきあう？」

折角のイタリアンだし、私は赤のグラスワインを頼むことにした。

「さぁてと、何食べよう」

留理子はサングラスを頭の上に載せるとメニューを覗いた。

私はキャベツとアンチョビのパスタセット、留理子はモッツァレラチーズのリゾットセットを注文した。

留理子は先に運ばれてきたビールをゴクゴクと喉《のど》を鳴らしながら飲んだ。

「ああ、美味《おい》しい。どうして昼間のビールはこんなに美味しいのっ」とご満悦だ。「ここんところ忙しくてネイルサロンにも行けない」だとか「雑誌の部数が伸び悩んでいる」などと、留理子の近況報告が続き、私はなかなか本題を切り出せぬまま、もっぱら相槌《あいづち》を打つ役に回っていた。

食事が済み、蜂蜜《はちみつ》のジェラートが運ばれてきた。

留理子は紙ナプキンで唇を拭《ぬぐ》うと「で、なんなの？」と尋ねてきた。

「ん？」

「相談があるって言ってきたくせに、肝心な話が全然出てこないんだから。もっとも、いつものことだけどね」

「留理子ばっかり喋《しゃべ》ってたから、言い出せなかったんじゃない」

「それはそれは失礼しました。では、たっぷりと聞かせていただきます」

そう言われたのに、イザとなると「それが……。実はね……」と、口籠《くちごも》ってしまう。すると苛々《いらいら》するように留理子は「もう、一体、何？　はは あーん、旦那《だんな》が浮気でもした？」と身を乗り出した。

「え？」

「えって、やだあ、アタリなの？」

留理子は大袈裟《おおげさ》に溜《た》め息をついてみせると「まあ、大体、人妻が相談があるって言えば、旦那の浮気くらいなものって相場は決まってるけどね」と得意満面で答えた。

「何、そのしてやったりみたいな顔」

「ふーん、三年目の浮気ってやつかあ」私の問いには答えることもなく、留理子は笑った。

「ちょっと笑い事じゃないって」

「他人の揉《も》め事は楽しいよ」

「酷《ひど》いなあ、友達でしょう」

「少しくらいは楽しませなさいよ。わざわざここまで来てるんだからさ。で、確かなの？　つまり証拠をつかんでるとか」

私は首を横に振った。

「じゃあさ、どうしてそう思う訳よ」

「勘……かな」

留理子は椅子の背もたれに背中を預けると腕を組んで「じゃあ、間違いないね」と、あっさり答えた。

〝何よ、勘って〟と、また呆《あき》れられると思っていたが、否定されることもなく、そう断定されるとおかしな話だががっかりする。

「あれ？　もしかして否定してほしかった？」

「そ、そうじゃないけど……。でも、まず普通は、そんなことないよって言わない？　それを間違いないって……」

「あのさあ、世の中でオンナの勘ほど正確なものはないんだよ。さゆりだって分かってるくせに。結局は、ここにピピッって感じるものが案外正しいんだって」と、留理子はこめかみの辺りを人差し指で押さえた。

「だけど、何かおかしな様子とかあるから勘が働く訳でしょ。まさか霊能者みたいに、旦那の背後に浮気してる映像が見えちゃうからってことでもないだろうし」

「ワイシャツに僅《わず》かなんだけど、たぶん香水の匂いが」

「匂いねえ、さすが匂いフェチのさゆりだわ。あんたは犬並みの嗅覚《きゅうかく》があるんだもんね」

と、留理子はパグに目を向けた。

「もう、茶化さないでよ」

「でも、匂いなんてキャバクラとかでも付くんじゃないの？」

つきあいでバーやキャバクラに行くことは知っている。それを取り立てて隠すようなことを夫はしない。だから、そういう店で隣に座った女性の香水の匂いが付くこともあるだろう。でも、スーツの上着なら理解できるが、シャツとなるとどうか。いや、上着を脱ぐこともあるかもしれない。

「でもその匂いって、ワイシャツの内側からしたんだもの。そんなところに普通、残る？」

「なるほど。で、他には何かないの？」

「他にって？」

「だから、急に帰りが遅くなったとかさ」

「ううん、特に……」と言い掛けて、今朝、夫に言われたことを思い出した。

「そうだ、帰宅が遅いって言えば、水曜日が多いかな。今晩も遅くなるって言ってたし。でも、終電に間に合うように戻ってくるけど……」

水曜日はレンタルDVDがレディースデーで半額だ。夫の帰宅が遅いと分かっている夜は、夕食後、私はDVDを観て過ごすことにしている。

「あ、そういえば、シャツの匂いに気づいたのも水曜だ」

借りてきた〝パイレーツ・オブ・カリビアン〟を観た晩なので、水曜日に間違いない。

「水曜日ねえ……。あれ、さゆりの旦那の会社って、もしかして、ノー残業デーとか採用してない？」

「何それ？」

「その日は残業をしないで、さっさと帰ろうって日のこと。週中《しゅうなか》の水曜日が多いみたいだけどね。ま、ジムに通ったり、趣味を楽しんでリフレッシュするとか、あるいは家庭サービスをしようみたいな取り組みでさ。ま、実際には、飲み会とかになっちゃうケースが多いみたいだけどね。中には、午後六時になるとオフィスの照明が落ちて強制的に退社させられる会社もあるとか。もっとも経営サイドにすれば、不景気で残業代払えないからっていうのが正解なんだろうけど。ま、なんにせよ、うちの会社じゃ考えられない制度で、羨《うらや》ましいわ」

打ち合わせと称して、昼間からビールを飲める会社の方が、世間からすれば羨ましがられるとは思うけど……。

「私がいたときは、まだそんなものはなかったけどなあ」

夫と私は、絵に描いたような職場結婚だ。オフィスOA機器の総合メーカーで、ふたりとも営業部に属し、向かい合ったデスクで仕事をしていた仲だ。お陰で、結婚披露宴のスピーチでは「こんなに省エネな出会いをしたカップルは初めてで、まさに時代にマッチしたふたりです」と上司からからかい半分に私たちのことを紹介された。

「うーん、そう考えると、意外とこの水曜日は怪しい。もしノー残業デーなら、オンナと早めに落ち合えるし、終電に間に合うように帰宅すれば不自然さもないしね」

そう言いながら留理子は得意げに何度も頷《うなず》いた。ひとつの情報から物語を膨らませていくのは職業柄といったところなのだろうか。

「じゃあ、電話とかメールとかはどう？　コソコソとか怪しい素振りは？」

「特にコソコソしてる様子はない」

「ふーん。ねえ、旦那のケータイの中身チェックした？」

「まさか」私は手を振って否定した。

「ばかね。浮気調査の初歩じゃないのよ」留理子は簡単に言ってのけた。

「えーっ、そんなこと無理」私は慌てて首を振った。

「何、格好つけてんのよ。六割の妻が夫のケータイをチェックしたことがあるって、ネットのアンケートに答えてるのよ」

「いくら夫婦でもプライバシーってものがあるじゃない。最低限のルールだし」

「くーっ。優等生っていうか、この偽善者。何もっともらしいこと言ってんのよ。オトコとオンナの間にルールなんてあるはずがないじゃない。私なんか、速攻、見ちゃうしね」

留理子なら躊躇《ちゅうちょ》なくそうするだろうけど……。

「旦那、ロックしてる？」

「さあ、どうかな。たぶんしてない」

夫はケータイにロックを掛けていないと思う。それどころか無防備にケータイをどこにでも平気で置いておくタイプだ。

「へーっ、余程さゆりを信じているか、ううん、違うな。そりゃあなめてるからだね」

「そうなのかなあ」

「ほら、前にちょっとだけ話したじゃない、ケータイ三個オトコ」

「ああ、広告代理店の人ね」

「そうそうアイツ。大体、三台もケータイ持ってること自体が怪しかったんだけど。本人は、仕事用とプライベート用だなんて言ってたけど。じゃあ、二台でいいだろうって話じゃない。それが三台だもの。しかもばっちりロック掛かってるし。その日はさ、なんとかしてケータイ見てやろうと思ってて、最初からガンガン飲ませたの。そしたらデレデレに酔っぱらっちゃって、こっちの思う壺《つぼ》。暗証番号は事前に覗《のぞ》き見したの。完全に分からなくても指の動きを見張っておけば見当はつくし。ところがなんてことはない、誕生日だもの。そこんところが、オトコってばかよねえ。で、グーグー寝込んじゃってる側でメールチェックしたわよ。そしたらどうよ。出てくる出てくる。ダーリンだの、ハニーだのってバカメールとか、ちょっといかがわしい写メとか。プッチーンってキレちゃって、すぐ叩《たた》き起こして平手打ちよ」

鬼の形相で、オトコの頬に一撃喰《く》らわす留理子の姿が浮かんだ。普通なら不気味さを感じるのだろうが、それが留理子となるとどこかコミカルな場面に思えておかしくなってしまう。

「でも罪悪感ってない訳？」

「全然。そのときはない。だって必死だもの私」

留理子はそうきっぱり答えると「ああ、なんか悔しくなっていっぱい喋《しゃべ》ったら喉《のど》渇いちゃった。もう一杯ビール頼もう」と、スタッフを呼んだ。

「あのさあ、姑《しゅうとめ》みたいなこと訊《き》くけど、さゆりんとこって子ども作らない訳？」

「ほしいけど、こればっかりはね」

「努力はしてるってこと？」

「まあ、一応」

「つまり、セックスはしてるんだ？」

留理子が大声で笑うと、他の客たちが一斉に私たちの方に顔を向けた。そしてクスクスと笑いを堪《こら》えるような声がこぼれた。

「もうっ、ちょっとやめてよ。私は地元なんだから」首筋から頬へ向かって熱いものが駆け上がった。

「一説によると、旦那《だんな》が外でしてると子どもがなかなかできないらしいけどね」

「え、そうなの？」

「俗説よ。ま、妊娠しないからって、それが浮気の決め手にはならないけどね。あ、じゃあさ、私が訊いてやろうか」

「そ、そんな」

中学生の恋愛でもあるまいし、友達にそんな真似はさせられない。いや、してほしくはない。

「じゃあ、興信所でも雇ってみる？」

「それって大袈裟《おおげさ》じゃない」

「まったく煮え切らないなあ。じゃあ、あんたはどうしたいのよ」

「分かんない。だから相談してるんじゃないっ」つい声のトーンが上がってしまった。

「私にキレてどうすんのよ。まったくあんたってさ、普段、ウジウジ、ナヨナヨしてるかと思えば、いったん頭に血が上ったりすると、妙に肝が据わっちゃって、私なんかより何倍も怖いんだから。突然バーンってくるし」留理子は握った拳《こぶし》を上に向けるとパッと五本の指を広げた。

「気づいたら、旦那を包丁でブスリ、とかね」

「やめてよ、もうっ。勝手に殺人者にしないで」

「冗談だって……。でも結局さ、答えは簡単。要は、あんたがその疑念を晴らしたいかどうかだけ。ま、私の経験から言えば、悪事を暴いたところで明るい未来が待っているとは限らないけどね。でも納得したいなら、ウジウジしてないで、さっさと問い詰めちゃいなよ。その方がすっきりするって。ほら、政治も恋愛も厭《いや》なことを先送りするとロクなことはないし」

留理子に相談して気分を楽にしようと思ったのに、むしろ、厄介な宿題を出されて、私は小学生のように憂鬱《ゆううつ》になった。

レストランを出て、留理子を駅まで見送った。

「あ、そうだ。ことの顚末《てんまつ》が分かったら教えてよ。再来月号の特集で〝オトコたちの浮気心理〟っていうのをやるんだけど、仮名、ううん匿名でいいから体験談載せるってどう？」

体験談かあ。私の中では、まだ夫は〝グレー〟なのに、留理子にしてみればすっかり〝クロ〟ということなのだろう。

「ばか言わないで」

「いいアイディアだと思うんだけどなあ」

そう含み笑いをすると留理子は駅の階段を上っていった。


留理子と別れてからレンタルショップに立ち寄り、DVDを2タイトル借りて自宅に帰った。

部屋に戻ると、ベランダに干しておいた洗濯物を取り入れた。両手に抱えた洗濯物は日差しをたっぷり浴びたせいで太陽の匂いがするようだ。

洗濯物をひとまずリビングのソファに置く。中から、後でアイロン掛けするものを選《よ》り分ける。

フローリングの床の上に正座して、揃えた膝《ひざ》の上で夫の下着や靴下を畳み、積み重ねた。

「あとはアイロン……」

アイロン台を準備して、アイロンをコンセントに繋《つな》ぐ。

アイロン掛けは苦手だという主婦仲間もいるが、私は苦にならない。むしろ家事の中では好きな方だ。それは父に褒められたことがキッカケとなった。

私の実家は茨城の日立《ひたち》市にある。大学に合格して東京でひとり暮らしを始めるまで、そこで家族と過ごした。

私が小学五年生の初夏、母が子宮筋腫《きんしゅ》を患って入院したことがあった。

母が入院している間、母方の祖母が長崎からやってきて、父と私、そして五つ年上の兄の面倒をみてくれた。だから、母のいない寂しさはあったものの、家事に困ることはなかった。

「あ、まいったなあ、ワイシャツがない」

ある朝、身支度をしていた父がこぼした。

父はクリーニング店から戻ってくるシャツが嫌だった。糊《のり》付けの具合が肌に合わないという理由からだ。なので、母はいつも父のワイシャツにきちんとアイロン掛けをしていた。食事の支度や掃除は手抜かりのなかった祖母でも、父のワイシャツにまでは気が回らなかったのだろう。

「仕方ない。新しいシャツを着るか」父はそう言って買い置きしてあった新しいワイシャツを探し出すと、それに袖《そで》を通した。

その日、下校すると、祖母は買い物に出たらしく留守だった。遠い西の空からゴロゴロと夕立が迫る気配がした。庭先に目を向けると洗濯物が揺れていた。取り込まなくちゃ濡《ぬ》れちゃう。私は居間からサンダルを履いて庭に降りると、母がいつもしているように竿《さお》から洗濯物を取り込み、それを和室に運んだ。

どさっと畳の上に置いた洗濯物の山のいちばん上に、父の白いワイシャツがあった。そうだ、私がお母さんの代わりにアイロンを掛けてあげよう。

和室の押し入れに仕舞われていたアイロンを持ち出すと、母の見様見真似で父のワイシャツにアイロンを掛けた。今にして思えば、へたくそな仕上がりだったに違いない。それでも、帰宅した父にそのワイシャツを見せると「これで明日《あした》も仕事が頑張れるぞ。ありがとうな」と満面の笑みで私の頭を撫《な》でてくれた。私は大きな仕事をやり遂げた気分に有頂天になったものだ。

それからは母が退院した後も、ときどき手伝いとして父のワイシャツにアイロンを掛けた。

「いい？　細かい部分から掛けていくのよ。ワイシャツは襟から。片方の手で縫い目を引っ張りながらね。だめだめ、ジグザグに動かさないで。皺《しわ》になっちゃうから。そう直線的に。アイロンの先を少し浮かせる感じで。そう、上手。それから表だけじゃなくちゃんと裏側からもね」

母は私の側に座りながら、アイロンの掛け方を教えてくれた。肩ヨーク、カフス、身ごろ……シャツにそういう部分の名前があることも覚えた。

大学進学で上京が決まると「そうか、もう、さゆりにアイロンを掛けてもらったシャツを着られないんだなあ」と、しみじみと父に呟《つぶや》かれた。

後に母から聞かされた話だが、父は会社の同僚に「このシャツは娘がアイロンを掛けてくれたんだ」と自慢していたようだ。

そんな昔の出来事を思い出しながら、一枚目のシャツのアイロン掛けを終え、次にブルーのシャツを手にすると台の上に広げた。

「そうなのよね……」私はそう独り言を口にした。

結局、この人と結婚しても上手《うま》くやっていけそうだなと感じたのは、夫も父と同じようにアイロン掛けのシャツを褒めてくれたからなのだ。

夫と親密なつきあいになった頃のある週末。彼が私の部屋に初めて泊まった。私が手料理を振る舞った後にワインを飲んだ。酔いの回った彼が「オレさ、オンナの子が男物のシャツを羽織ってる姿って好きなんだよな。長めの袖をブラブラって振ってみせる仕草とか、裾《すそ》から伸びた素足とか。あ、ちょっとベタだけど」と照れながら言った。

私も酔っていたせいで、いつもより大胆になっていた。「あら、お望みなら」と答え、彼と向かい合うと、彼が着ていたワイシャツのボタンをひとつずつ外し、そのシャツを脱がせると「向こうを向いてて」と立ち上がり、彼に背中を向けた。

私は一糸纏《まと》わぬ姿になると、その素肌にシャツを羽織った。

「どう？」

彼の方に向き直って、長めの袖を振ってみせると、彼は「それそれ、そのポーズ」と嬉《うれ》しそうに赤い顔をほころばせた。恋愛中の男女ならではのばからしく、そして楽しい一幕だった。

翌朝、少しばかり情熱の余韻があるベッドで目覚めると、枕の下で彼のシャツが皺くちゃになって丸まっていた。

眠っている彼を起こさぬようにベッドから抜け出すと、私は彼のシャツを洗濯機に入れた。

彼が寝癖のついた頭を掻《か》きながら目覚めたのは正午を回ってからだった。

「煩《うるさ》くなかった？　ちょっと洗濯機回してたから」

「ううん、全然」と、彼は大あくびをした。

「ワイシャツ洗っておいたわ」

「ありがとう。でも、別にそのままでもよかったのに……」

私は掛け布団の上に畳んだシャツを置いた。

彼はそれを手にすると「へー。アイロンまで掛けてくれたんだ」と微笑んだ。

「うん、一応ね」

「うちの母親はもっぱらクリーニング派だったから、アイロン掛けてる姿なんて見たことがなかったなあ。でも、いいよね、他人じゃなくて、自分のためだけに一生懸命、シャツにアイロン掛けてもらえるってことも」

彼はそう言って袖を通すと「ああ、気持ちいい」と褒めてくれたのだ。

父以外に、アイロン掛けをしたシャツを喜んで着てくれる人ができた瞬間だった。それが素直に嬉しかった。私にとってアイロン掛けは小さな幸せの象徴なのだ。

なのに……。ふと夫のブルーのワイシャツに触れたまま考え込む。もしかしたら、このワイシャツに私の知らない誰かが袖を通して、その背中や乳房に触れたのだろうか。その姿を夫は褒めたりしたのだろうか。そう思うと、怒りとも嫉妬《しっと》とも区別のつかない感情が胸の奥に渦巻いた。なんだか急に気力が萎《な》え、アイロンを持つ手が止まった。今日は、ここでやめてしまおう……。

「ただいま」

夫が帰宅した気配に、観ていたＤＶＤを一時停止させる。プレイヤーの時間表示は午前一時を少し回っていた。

「最終？」

「いや、一本前のに乗れた」

「そう。お風呂《ふろ》に入る？」

「ああ、そうする」と、スーツの上着をソファの背に掛けると、夫は脱衣所に向かった。

「ねえ」夫を呼び止めた。

「うん？」

「うちの会社ってノー残業デーってできた？」

足の止まった夫の背中が、まるで矢を射られたようにピクリとした。

夫は振り向くと「ああ、あるよ。去年から始まった。だけど、その……」と答えたが、どうも歯切れが悪い。

「ふーん、そうなんだ」

「話してなかったっけ？」

私は頭《かぶり》を振った。

「そ、そうだったっけ。ま、でも、うちのは掛け声ばかりのやつで、なんていうか、つまりスローガンというか、社員の努力目標っていうか……。でも、それがどうかしたか」

「別に。夕方のニュースでそんな特集してたから」と、嘘をついた。

「折角、早く帰れそうでも、結局は部内のつきあいとかになっちゃうし。あ、今夜もみんなで飲んじまった」

「あれ、今日は接待じゃなかったの?」

「あ、いや、先方の都合でドタキャン。それでみんなと飲むことになってさ。君も分かってるだろう、営業は取引相手の都合が優先だって。こんなんじゃ、ノー残業デーも関係ないっていうんだよな」

疑いの目で見ているせいだけではない、夫の笑い方には無理がある。

夫の替えの下着を用意して脱衣所に入ると、磨《す》りガラスの扉の向こうからシャワーの音が聞こえた。私は脱衣籠《だついかご》の中に入れられたシャツを拾うと鼻を押しつけ匂いを嗅《か》いだ。でも、甘い香りはしなかった。思い過ごしなのかしら……。

リビングに戻りソファに座ると、目の前のテーブルの上に夫のケータイが無防備に置かれているのに気づく。

浮気調査の初歩……か。昼間、留理子に言われた言葉が頭の中を駆け巡る。チャンスかも。いいや、それはできない。でも、六割の妻が……。頭の中で天使と悪魔の囁《ささや》きがぶつかりあう。ああ、そうよ、ちょっとだけなら。これは確認、そう単なる確認なんだから。でも、やっぱり……。

と、そのとき、夫のケータイが震えた。咄嗟《とっさ》に覗《のぞ》き込んだ小さな液晶画面に〝三村《みむら》〟と表示された。誰？　そんな友人や同僚の名前など、夫の口から出たことはない。でもフルネームではないので、性別は分からない。

私は脱衣所に続く扉を振り向いた後、何かに突き動かされるように夫のケータイに手を伸ばした。初めての行為に罪悪感もあったが、反面、心のどこからか高揚した波が押し寄せてくる。ボタンを操作してメールを表示させる。

〝今日はドタキャンしてごめんなさい。来週の水曜日は必ず〟

最後には赤いハートマークが付けられていた。何よ、ハートマークって。一瞬にしてかっと頭に血が上った。いやいや、冷静にと自分を宥《なだ》める。〝グレー〟はかなりその色を濃くした感じでも、まだこの程度では決定的な証拠にはならない。

今、あれこれ考えている余裕はない。私は慌てながら夫のケータイのアドレス帳から〝三村〟を調べると、赤外線通信を使ってその電話番号とメールアドレスのデータを自分のケータイに転送した。そして、夫のケータイからそのメールを削除した。

やろうと思えばやれてしまう。留理子の言っていたように罪悪感が薄れていた。

夫が風呂から上がった気配に、一時停止していたＤＶＤプレイヤーの再生ボタンを押し、何事もなかったかのようにテレビ画面に目を向けた。

「先に寝るけど」

「うん。私はこれを見終えてからにするわ」

そう答えたものの、ストーリーなど頭に入ってくることはなかった。

とりあえずＤＶＤを最後まで観てから寝室に入ると、夫は穏やかな寝息を立てていた。

ベッドに潜り込み、サイドランプの薄明かりに照らされた天井を見つめながら、後ろめたさと嫉妬が入り交じった感情に振り回されて、なかなか眠りに落ちることができなかった。


一度、頭の中を占領されると、憂鬱《ゆううつ》な気分を振り払うことができない。

嫉妬するなんてアホくさい。たかだか一通のメールでおたおたして、みっともない。いや自尊心の問題よ。ばかにされたような気分に耐えられないだけ。でも、夫との仲はそう悪いものではないし。いや、そう思っているのは私だけで、夫は別なのかもしれない。夫を買いかぶり過ぎなのか。私が甘ちゃんなのかも。単なる浮気ではなく、本気だったら……。離婚ということもあるだろうか。そんなことより、ケータイを覗くなんて。落ち込むなあ。きっとこういう小さなことから犯罪者は深みにハマってしまうんだ。ちょっと待って、どうして私がいけないの？　そもそも被害者なのはこっちなんだから……。

もう二日間も、ずっとこんな調子だ。この週末、どんな顔をしながら夫と過ごせばいいというのだ。

留理子に電話を掛けて愚痴りたいところだが、メールを盗み見したと言えば「やっぱり見ちゃったんだね」などと笑われそうだ。それはちょっと癪《しゃく》に障るし……。ああ、どうしたものなの……。

そんな私の胸の内など知らぬ夫は、今夜も平然と私の作った料理を食べ、暢気《のんき》に風呂に浸《つ》かっている。

テーブルの上に置かれた夫のケータイに目が留まった。

また覗くの？　だって他のメールが残ってるかもしれないじゃない？　もうはっきりさせよう。

夫のケータイに手を伸ばした。

受信メールの一覧に三村の名前はなかった。少しほっとした。でも、フォルダーを分けて保存しているということはないだろうか。フォルダー一覧の画面を表示させスクロールさせると、ひとつだけ〝M〟という名前の付いたフォルダーがあった。

ん？　直感で怪しいと思った。メールを開く。

〝寂しい。会いたい〟

〝今度、温泉に行きたいなあ〟

そんな文面のメールが何通も残っていた。

メールをひとつ開くたびに、沸々と沸き起こる思いが全身を震わせる。同時に、三村への興味が高まるのを感じずにはいられなくなった。

私の生活に土足で踏み込もうとしている三村って、一体、どんなオンナなの？

三村と会ってみよう。私を悩ますオンナの顔を見てやろう。ふとそう思った瞬間、ある企てが頭を過《よぎ》った。

私は躊躇《ちゅうちょ》なくメールを打った。

〝突然だけど、明日《あした》会えないかな？〟

夫になりすまし、三村に誘いのメールを送ったのだ。もしすぐに返信がなければ、この企ては終了。どきどきしながら待つ時間が何時間にも感じられた。と、ケータイが震えた。

〝嬉《うれ》しい。でも土曜なのに大丈夫？〟

〝大丈夫〟

何倍も怖い……か。留理子の言う通りなのかもしれない。いや、何も刃傷沙汰《にんじょうざた》を起こそうというのではない。それでも後日、夫がこの企てを知れば、揉《も》めることも想像できる。でも、そこからは私たちふたりの問題だ。

〝偽夫〟の私は、土曜の午後一時、恵比寿《えびす》のホテルのラウンジを待ち合わせ場所に指定した。

そして、夫が風呂から上がる前に、メールの形跡を消した。

翌朝。窓から見える空はどんよりとした鉛色の雲に覆われ、今にも雨粒を降らせそうだ。今日辺りから梅雨の走りになるという予報だ。私はほとんど眠れずにそんな朝を迎えた。ベッドの中で、どんな容姿の相手だろうとか、どうやって話を切り出そうかとか、やり取りのシミュレーションをしていたせいだ。お陰で、鏡に映った目の下にうっすらとクマが浮き出ていて落ち込む。

「ちょっと美容院に行ってくる」

私はパジャマ姿のままでソファでゴロ寝をしている夫に言った。

「土曜に珍しいなあ」

その通り。私が美容院に行くのは平日と決まっている。でも、美容院へ立ち寄るのは本当だ。髪くらいきれいにして〝敵〟と向かい合いたい。

「今日しか予約が取れなかったの。ついでにちょっとブラブラしてきていい？」

「いいよ。オレはゴロゴロしてるよ」

「お昼ご飯、ピラフ用意しておいたから、チンしてね。あ、夕飯だけど何食べたい？」

「任せる」

「じゃあ、帰りにデパ地下で何か買ってきてもいい？」

「ああ、それでいいよ」

できるだけ普段と変わらぬ素振りを続ける私に、企てを知らない夫は暢気に答えた。

私は寝室のクローゼットの前で身支度をした。真新しいストッキングまで用意し、麻のスーツを選んだ。ふん、何よこのオンナ……その程度に思われるのは、やはり癪だ。

「じゃあ、行って来ます」

十時過ぎに家を出た。出掛けに、夫のケータイをキッチンシンクの下にしまってある鍋《なべ》敷《し》きにくるんで隠しておいた。三村から連絡がきたりしたら計画が水の泡になる。


マンションのエントランスを出ると、雨がぽつりぽつりと降り始めた。湿った生暖かい空気の匂いがする。私は赤い傘を差して駅へと向かった。

予定通り、青山《あおやま》の美容院に立ち寄ってから恵比寿に移動した。昼食を摂《と》ろうかとも思ったが、空腹感はないので、恵比寿駅の改札を出ると真っすぐにホテルへ向かった。

結婚披露宴に参列する礼服姿の一団がロビーに溜《た》まっていた。その集団の脇を擦り抜けてラウンジへと足を進めた。

ラウンジの中はロビーから見渡せる。座席は半分程度埋まっていた。それらしい人の姿があるか確認をする。窓際の席とレジ近くの席に、女性客の姿がある。どちらも私からは背中しか見ることができない。

ケータイをバッグから取り出すと三村に電話を掛けた。呼び出し音が聞こえる。番号非通知の拒否設定はしていないようだ。

と、窓際の髪の長い女性客がケータイを耳に運んだ。

——はい。もしもし……。

あっちの人ね。私はすぐに電話を切った。

ラウンジの入り口に立つと、ウエイトレスが「おひとり様ですか？」と尋ねてきた。

「いいえ。待ち合わせなの」と、窓際の席を指差すと奥に進んだ。

彼女の背後に立つと少し膝《ひざ》が震えるような気がした。ここまでやってきて今更何よ。さっさと済ませましょう。私は自分に言い聞かせると、深く息を吸ってから「三村さん」と声を掛けた。

振り返った彼女は私を見上げた。その顔は不意を突かれた猫のようだ。

「あのー、えーと」と、彼女は曖昧《あいまい》に微笑んだ。どこで出会った人だろうと思いを巡らせているのだろう。

「中谷の家内です」

そう私が名乗っても、彼女はすぐには状況が呑《の》み込めない様子だ。

「ごめんなさいね。主人は来ませんよ」追い撃ちをかける。

「主人になりすまして、あなたにメールを送ったのは私ですから」

「え？　ええっ」

曖昧な笑みが消え、彼女は眉間《みけん》に皺《しわ》を寄せた。ようやくマズい状態だということが分かったらしい。

私は彼女とテーブルを挟んだ席に座った。すると彼女は腰を浮かせて席を立とうとした。

「逃げるの」間髪《かんはつ》容れず、そう言うと、「別に、そんなんじゃありません」と、観念したのか浮かせた腰を戻した。

まずは奇襲攻撃が功を奏して、私のペースに持ち込めた感じだ。

「何か頼んだらどうです？」

彼女にそう言われて、ウエイトレスが脇に立っていることに気づいた。

「そうね、じゃあ、ダージリンを」私はメニューを見ずにオーダーした。

ウエイトレスが軽くお辞儀をして立ち去るのを待ってから「そう、あなたが三村さんなのね」と、改めて彼女を観察する。

年齢は三十前後だろうか。然程《さほど》の美人ではないが、鼻筋の通った顔立ちをしていて、下唇が少しばかり厚めだ。おそらくサテンなのだろう、光沢のある薄黄色のブラウスの胸元が大きく開いている。きっと、粧《めか》し込んでやってきたに違いないが、お生憎《あいにく》様だ。多少、不憫《ふびん》に思えなくもないが……。

彼女の目線が上下した。きっと彼女は彼女で私を値踏みしているのだろう。

「どうやら、全部バレてるみたいですね」

「いいえ、知らないわよ。いつからつきあってるとか、どこで会ってるとか、夫が何をあなたに喋《しゃべ》ってるのかとか、そんなことは何も知らない」

「それじゃあ、教えてあげましょうか。中谷さんとは同僚で、とはいっても、私は中途採用っていうか、転職組なので、奥さんとは入れ違いって感じです。つきあい始めたのは半年前で……」

「そう、主人の同僚なの。でもそんなことはもうどうでもいいの」と、彼女の言葉を途中で遮った。

どうでもいいはずがない。半年前から関係があったなんて。気づかなかった自分にショックだ。

「じゃあ、もっと色っぽい話にしましょうか?」開き直ったのか、強い語気で返された。と、紅茶が運ばれてきた。ウエイトレスがティーカップを置いて下がるまでの間、奇妙な静寂が生まれた。

「でも、よかったわ」私はゆっくりと口を開いた。

「は?」

「あなたが鼻持ちならない厭味《いやみ》なオンナで。これで心置きなく意地悪が言い返せるもの」

彼女はうんざりといったふうに首を横に振った。

「で、中谷さんと別れた方がいいですか、それとも……」彼女はもったいぶるように間をあけると「そちらが離婚しちゃうこともあるってことですか」と続けた。

「さあ、どうかしら。今日のところはまだ分からないわ。うーん、でもきっと離婚はないかも」

「つまり、中谷さんのこと許せるってこと？　それって愛しているからってこと？」

「愛しているからってこと……」私はオウム返しをすると下を向いて笑ってしまった。

「ま、それはそうよね。結婚してるんだし」と、私は左手の薬指の指輪に触れた。

「でも、いちばんの本音は、オンナとして悔しいからに決まってるじゃない。反対の立場だったらそう思わない？」

「正直なんですね。愛してるからなんて真顔で答えられたら興ざめするところだった」

どこまでも挑んでくる姿勢をみせる。

「あら、でも愛情は重要でしょう」

私はムッとしながらも、そのペースに乗せられまいとして、ひと呼吸置くために紅茶をひと口飲んだ。

「ねえ、何かあなたにも選ぶ権利があるみたいに言ってるけど、私たち夫婦の問題が解決するまでは、残念だけど、あなたは単なる部外者なのよ」

「じゃあ、偽メールを送ってまで部外者を呼び出した目的はなんですか？」

「さあ……。それが私自身にもよく分からないのよね。ただね、ウジウジ考えてると家事が手につかなくて困るの。アイロン掛けなんて途中で放りっぱなしになってるし」

彼女は微《かす》かに聞こえるくらいの音を出して鼻で笑った。

「奥さんってアイロン掛けが上手なんですってね」

私は返事をせずに、少し眉間に皺を寄せた。

「随分前に、部のみんなで飲んだとき、中谷さんが〝うちのはアイロン掛けるのが上手《うま》い〟って言ってたもので。ふーん、中谷さんには家庭的な奥さんがいるんだなって思いましたよ」

感心しているように装ってはいるが、完全に小ばかにしている口調だった。だが、その情報は悪くない。夫が同僚たちにそんなことを言っていたなんて……。思わずほくそ笑むところだった。

「あ、その頃はまだ私たち、なんにもなかったですよ。でも、そんなに家庭的な奥さんがいるのに……」彼女はにやりと笑った。

「オトコなんて、どんなに安っぽい餌でも鼻先にぶら下げられたら飛びつく動物ってことなんじゃないかしら」

彼女の顔が瞬時にして歪《ゆが》んだ。

「言ってくれるわ。何よ、アイロン掛けしか能がないくせに」

彼女は横を向いて小声で悪態をついた。

「分かってないのね、アイロン掛けは簡単じゃないのよ。ま、でもいいわ。そうだ、あなた、主人のワイシャツ着たでしょう。主人に頼まれたの？ 着て見せてくれって。ヤだわあ、敵の奥さんの手で整えられたシャツに身体を包むなんて、相当、屈辱的だと思うけど」

彼女は少し押し黙った。

「ん、どうしたの？」

「着てません」

「え？」

「だから、そんなシャツを羽織ったことなんてありませんからっ」

「おかしいわね。だって香水の匂いを残した犯人はあなたなんでしょう？」

彼女は片方の眉《まゆ》をピクリと吊《つ》り上げた。

「憐《あわ》れよね。私がいたら、所詮《しょせん》、日陰の身ですものね、だから、せめて自分の存在を知らせたかったんでしょ」

「だから、着てないって言ってるでしょ。あの香水は……。私がシャツを丸めたら、あの人が、中谷さんが、触るなって怒ったもんだから、ついムッとして、こっそりシュッてひと吹きしただけ」

シャツに触った彼女を夫は怒ったんだ。

「じゃあ、ホントに着てないんだ？」

「だから」

「袖《そで》とかブラブラさせたんじゃないんだ？」

「はあ？　何言ってるんですか、意味分かんないっ」

まるで急に梅雨空が晴れて、その隙間から日が差してくるような気分になった。

所詮、彼女は私たちの外側をうろちょろしているだけのオンナなのだ。たとえそれがシャツ一枚の差だとしても、夫は彼女を内側に迎え入れたのではない。最低限のルールは守ったということだ。だからと言って、すべてを水に流すということもできそうにもないが。それなりのお灸《きゅう》は覚悟してもらわなくちゃ。

もう長居は無用だ。

「じゃあ、これで失礼するわ」私は伝票を手にすると立ち上がった。

「え？」

「帰るのよ。ただそれだけ」

呆気《あっけ》にとられた顔つきの彼女にそう言ってのけた。

「主婦も暇じゃないのよ。帰ってアイロン掛けしなくちゃ」

私は歩みかけた足を止めて振り返った。

「ああ、そうだ。週明けに主人のワイシャツ見て、パリッと仕上がってたら、それは私が気持ち、いいえ念を込めて仕上げたものだから。それからもうひとつ、見るのは表からだけにして。もう裏側に興味は持たないでね」

私は彼女を見下ろしながら微笑んだ。

褒め屋

ダルさが残った身体を起こす。頭は重く、胃の辺りはムカムカする。

ベッドの上におばあちゃん座りをしながら部屋の一角をぼんやりと見つめた。

この頃眠りが浅く、しかも決まって同じ夢を見る。上司や同僚と言い争い、最後は全員から責められるというリアルな夢。それを何度も繰り返し見る。首の周りにかいた寝汗の感触が冷たい。

一年前まで私は損保会社に勤めていた。会社の知名度は一流だったが、単なるＯＬでしかなかった私は、一度も仕事にやり甲斐《がい》を感じたことはなかった。だから、転職に迷いはなかった。

今の会社は、ヨーロッパの家具や家電、小物に至るまで輸入販売を行っている。直営のショップもある。元々、インテリアに関心のあった私は思いきって中途採用の面接を受け、採用された。

配属先は希望通り、主にオフィス用のデスクや椅子を扱い、クライアントの要望があればオフィス全体のレイアウトまで手掛けるという部署だった。

新参者の私は、誰よりも早く出社し、営業も積極的にこなし、食事もそこそこにほとんど毎日残業した。

私のターゲットはベンチャー企業だ。若い経営者たちはカタチを重視する傾向が強く、経営が軌道に乗り始めると広いスペースに移る。その際、オフィスツールも新しいものに換える。私が薦めるドイツ製の椅子は機能性に優れているだけでなくデザインもお洒落《しゃれ》なもので、それらは彼等の感性をくすぐり、その結果、レイアウト込みという仕事を増やした。疲れていても充実感がそれに優《まさ》り、輝いている様が自分でも分かった。年末にはオーナー賞を貰《もら》い、社内を歩くストライドも自然と大きくなっていった。が、間もなく、そんな状況も急に雲行きがあやしくなった。

あれは先月末のことだった。午前の会議が終了し席を立とうとしたとき「ちょっと」と、チーフに呼び止められた。

「なんでしょうか」

「君が頑張っているのは分かるが、このところ独善的過ぎるという声が部内にある」

「はぁ？」

以前から、会議の席で同僚たちと意見の衝突はあったが大して気にはしていなかった。

「チームワークを乱されちゃ困るんだ」

つい受け流すことができず「それは心外です、私が何かみなさんに不利益をもたらしたんでしょうか」と言い返した。

「分かってないなぁ、問題なのは、そういう言い方なんだっ」

そんなやり取りがあってから「あの人、目とか吊《つ》り上がってない？　ピリピリしちゃって恐いって感じ」と、私に対する悪口があからさまに聞こえるようになった。それだけならまだしも、最近は部内情報が回ってこなくなったり、私の作成した見積書が紛失したり、気持ちの悪いことが起こりはじめ、不信感とイライラ感はピークに達した。

「う、酒臭っ……」

夢見の悪さに加え、自分の吐く息の臭さに気づく朝は最低だ。

昨日は珍しく早い時間に退社し、途中、地元駅前商店街のコンビニへ立ち寄り、オムライス弁当と缶ビール半ダースを買って帰宅した。週末にそういう夕食では侘《わび》しさ倍増というところだが、昨日の会議でもまた同僚と言い争い、穏やかに外食する気分ではなかった。それに金曜の夜に、ひとりで外食するなんて自殺行為に等しい。

酒は弱い方だが、ストレスが強まるにつれ量が増えた。味など分からない。酔ってしまえればそれでいい。アルコール依存症への入り口かもしれない。

「ううう、何時？」

目覚まし時計をつかむと午前十時を回ったところだった。休日だし約束も何もない。二度寝を決め込んでも問題はないと横になった瞬間、ケータイが鳴った。

「ん、もう、何よっ」

上半身からベッド下にずり落ちるようにして床を這《は》う。ローテーブルの上に載ったケータイの着信光を目指して手を伸ばすと、ゆうべ飲んだビール缶がガランと倒れた。もう面倒臭いなあ。

――はい。

――中島涼子《なかじまりようこ》さんでしょうか。

聞き覚えのない男の声だった。

――そうですが……。

――褒め屋万年堂《まんねんどう》から派遣されることになった与田《よだ》と言います。

何？　何堂？　誰？　まだ血の巡りの悪い頭で考えた。

――あのー、もしもし。

――あ、はい。

――ご予約、本日の午後一時からと伺っているのですが、待ち合わせの場所はどうしましょう？

待ち合わせだ？　そんな約束をした覚えはない。これは新種の勧誘詐欺か？　休日の朝っぱらから迷惑な話だ。ふざけないでと怒鳴り、電話を切ってやろうと思ったとき、倒れたビール缶の下敷きになった雑誌の切り抜きに気づく。

私にはやたらと雑誌や新聞の記事を破って溜《た》めるという癖がある。

紙の上に載った小物を払い除《の》けてそれを手にすると〝褒め屋万年堂体験記〟という記事の切り抜きだった。微《かす》かに昨日の夜の記憶がよみがえる。

あ、これだ。私から電話をしたんだ……。

どうせこれからの予定はないし、眠れそうもない。ふと褒め屋とはどんなものか冷やかしで試してやろうと思った。

待ち合わせは、横浜みなとみらい造船ドック跡付近にした。渋谷《しぶや》や代官山《だいかんやま》でもよかったのだが、通勤とは逆方向の電車に乗りたかった。

電話を切って、手にした記事にざっと目を通す。

〝褒め屋万年堂〟とは、愚痴りたいとき、悩んでいるとき、励まされたいとき、そんなときに話を聞いてくれる人を派遣するというサービス会社のことだ。ふざけた名前で面白いなと思い、その記事を切り抜いておいた。それなりの女性誌が体験取材までして取り上げたものだし、親会社は名の知れた人材派遣会社だ、満更インチキでもないだろう。でもまさか、いくら酔っていたとはいえ、この私がそんなサービスに頼ろうとするとは……。自分が思う以上に情緒不安定なのだろうか？

頭を二、三度振りながら、薄暗い部屋の中でヨロヨロと立ち上がり、カーテンを開ける。眩《まぶ》しくて眉間《みけん》に皺《しわ》が寄る。

窓の両端を五センチほど透かすと、右側の隙間から入り込んだ九月の風が足元を回り、生暖かい部屋の空気をもう片方の隙間から連れ去ってゆく。この憂鬱《ゆううつ》な気分も一緒に連れ去ってくれればいいのに……。

「ふあー」

背伸びをして振り返ると、壁に立て掛けた姿見にスエットパンツとTシャツを着た私が映る。髪はボサボサ、目尻《めじり》にはご丁寧に薄《うっす》らと目ヤニまで付いている。まともな女じゃないと苦笑する。

裸になってバスルームに入り、冷水シャワーを頭から浴びるとかなり正気に戻った。バスタオル姿で歯磨きをする。口に含んだ水をグチュグチュと音を立てた後、洗面ボウルに吐き出した拍子に鏡を見ると、右の頬の真ん中に赤い突起物があった。

「えっ、何よ、これっ」

慌ててその吹き出物周辺の皮膚を指先で引っ張って確認する。

昔から、ストレスを感じると口内炎や吹き出物ができた。二十代前半までは、恋人とセックスでもすれば、体の代謝がよくなり、すぐに吹き出物も消えたものだが、三十路《みそじ》も目前になると、なかなか手強《てごわ》い。おまけに恋人も失ってしまっては……。

バレンタインデーも間近のある晩、久しぶりに辰彦《たつひこ》と待ち合わせをした。青山《あおやま》の裏路地にあるイタリアンの店は、辰彦が調べて予約してくれたものだった。

会社を出る寸前に、チームを組む同僚の発注ミスが分かり、その処理に追われたせいで約束の時間に一時間遅れた。

「遅かったね。オレ、お先にワイン貰って……」

「ちょっと聞いて、もう信じらんない。なんで私が他人のミスをカバーしなくちゃなんないのっ」

「そうか、それは災難だったな。涼子もワインは赤で……」

「あのクライアントは私が三ヶ月粘って、やっと契約したのよ。それなのに、あんな単純ミスされたら私の立場がないじゃない」

「ああ、そうだな。で、何食べたい？　ここは四種のチーズピザが……」

「毎晩、残業でヘトヘトなのに、もうっ」

「おい、いいかげんにしろよっ」

辰彦は周囲を気遣いながら身を乗り出して、奥歯を噛《か》みしめるように低い声で言った。

「え？」

「お前、さっきから一体なんなんだ。遅れて来たくせに〝待った〟とか〝ごめん〟のひと言もなく、いきなりグダグダと文句ばっかり並べて。ふざけるなよ」

私は初めて見る辰彦の怒りの表情に驚かされた。

「お前だけが疲れてるんじゃない。こっちも同じだ。そりゃあ好きなカノジョが仕事のことで悩んでいれば愚痴くらい聞いてやるさ。でも毎回となったら話は別だ」

「イヤなら言ってくれればよかったじゃないっ」

「それだよ、その言い方なんだ。オレはデートを楽しみたいんだ。なのに、お前は議論をふっかけてくる。議論じゃなくて会話がしたいんだよ。そう思うのっておかしいか。最近のお前は可愛げがないんだよ。ハッキリ言うけど、イライラした女を相手に抱き合っても、はい、そうですかって、気持ちよくなんかなれっこないだろっ」

そんなつもりはなかったのに……。

辰彦は自分を落ち着かせるように「はあ」と息を吐くと、グラスのワインを飲み干した。

「なあ涼子、お前は転職して実力を発揮したのかもしれない。それはそれでよかったと思うよ。でも、オレは普通のＯＬやってた涼子の方が好きだった。ああ、保守的だと言われてもいい。だけどトゲトゲしてない分、マシな女だったからな」

そう言い残すと、辰彦は顔を背けたまま私を見ようともせず席を立った。重く気まずい雰囲気に支配される中、ひとり取り残された私は虚ろに宙を見た。

可愛げがない……か。

二年つきあった私への最後の評価……。もう、ふたりの関係は崩壊してしまったんだと悟った。そう悔やんだが、すべては手遅れだった。

適当に身支度を済ませ、十二時過ぎに部屋を出た。

乗り込んだ東横線《とうよこ》の車両は土曜日にもかかわらず結構混雑していた。吊《つ》り革をつかみながら、周りの人たちを見る。家族連れもカップルも、私とは接点のない赤の他人。これだけたくさんの人が溢《あふ》れている街なのに、恋人や友人はおろか、味方ひとり存在しないんだと思うと、また胃の辺りがズンと重くなった。

地下へ潜った車両の窓に顔が映る。気になる吹き出物は赤さを増していた。

みなとみらい駅に到着し、案内板を頼りに地上への出口を探す。この辺りに来るのも久しぶりだ。もっとも、ここ何ヶ月、横浜どころかどこへもプライベートで遊びに出掛けることもなくなっていた。

長いエスカレータを乗り継ぎ、クイーンズスクエアへ出る。そのままランドマークタワー方面へ向かうと、拍手と歓声が響いてきた。

造船ドック跡地の広場には人だかりができていて、その人たちの視線の先では大道芸人が炎のついたこん棒をお手玉するというパフォーマンスの最中だった。

一時までにはまだ時間がある。私はいちばん上の階段に腰を下ろして大道芸を見ることにした。

パフォーマンスが一輪車乗りに変わったときケータイが鳴った。

——はい。

——あ、与田です。今、どの辺りにいらっしゃいますか。

——階段のいちばん上。

そう答えながら私は立ち上がりキョロキョロと周囲を見渡した。

——どんな服装ですか。

——色気のない極々フツーの白いシャツにベージュ色のスカート。

——えーと……。あ、はい、発見しました。すぐそちらへ行きます。

十秒も経たない内に「中島さん」と背後から声をかけられた。振り向くと長身の若い男が立っていた。

階段を駆け上がって来たのだろう。「はぁはぁ」と息遣いが荒かった。

「はじめまして、与田です」

彼は微笑みながら褒め屋万年堂の派遣員証明証を示した。

「中島……です」と答え、その派遣員を観察する。ジーンズに腕捲《うでまく》りしたブルーのボタンダウンシャツ、背中には小振りのリュックを背負っている。大きな前歯が印象的で整った顔立ちをしている。が、どう見ても私より年下だ。

「意外でしたか」

「え？」

「僕みたいな頼りなさそうな派遣員が現れて」

相談相手という〝役柄〟からオトナの男が現れるものだと勝手に思い込んでいた。そんな思いが表情に出ていたのだろう。が、むさ苦しい中年男が現れるよりはずっといい。

「ところで中島さん、食事はされましたか」

「いいえ、ちょっと胃の具合が良くないので」と胃の辺りを摩《さす》ってみせる。

「それはいけないですね」

その風貌《ふうぼう》と不釣り合いな丁寧言葉に調子が狂う。

「そんなに丁寧な言葉使ってくれなくても……。なんていうか気色悪い」

彼は一瞬考えて「いやあ、実は僕もかしこまったのって苦手で。そう言ってもらえるとラクチンだなあ」と、また前歯を見せて微笑《わら》った。頭の回転のよい子だと思った。

「中島さん」

「涼子でいいわ」

「了解。では涼子さん、これからどうしましょう？」

「うーん……」特に何がしたいという訳でもない。

「じゃあ、とりあえず海沿いの方へ歩きます？」

「そ、そうね……」と頷《うなず》き、私は彼の横に並んだ。

コスモワールドの中を通る。小型のメリーゴーラウンドや汽車の乗り物といったアトラクションに小さな子どもたちが乗っている。それをパパやママがケータイカメラで撮影している。

「あ、そうだ、一応断っておくけど……」

私はそう前振りをした後、どうして褒め屋を利用することになったか、正直に話した。こんなサービスを真剣に頼むほど淋《さみ》しい女だと思われるくらいなら、愚かな酒好き女に思われた方がいい。

「へー、じゃあ、僕が電話したときは、予約した記憶がなかったんだ」

「そういうこと」

「ま、そういうアクシデントがあって涼子さんと会えた訳だし、だから世の中、面白いということで」

調子がいいなあ。だが、彼にとってはそれも仕事なのだから仕方ないが……。

「与田さんは」と言いかけると「くん、でいいスよ、くん、で」と返された。

「ああ、じゃあ……。与田くんは、いつからこの仕事やってるの？」

「半年くらい前からですね。実は、これってバイトで」

「バイトなのっ？」と、つい不満そうな声をあげてしまった。

「だからといって、いいかげんにやってる訳じゃないんで」と、彼は慌てて言い訳をした。

「まあ、バイトでもなんでもいいんだけど……。じゃあ本業は？」

「本業というか、実は今年の春から大学院生です」

「へー、勉強好きなんだ？」少し皮肉っぽく訊《き》いた。

「まいったな、みんなにそう言われるんですけどね。希望する企業に採用されなくって、ハハハ」

私の皮肉など無視したのか、それとも鈍感なのかは分からないが、彼はそう屈託なく笑って話を続けた。

「で、まあ、何かバイトでもと探してたところ、先輩が〝お前、褒め屋やってみるか〟って。当然、なんですかそれってことになりますよね。人を褒めたり、励ましたりする仕事だって説明されても訳分かんないし……。なんか宗教にでも入れられちゃうんじゃないかって一瞬引きましたけどね、ハハハ。まぁでも実態はこういうことでした」と、また笑う。

「ふーん」

大観覧車へと続く橋を渡る途中で、突風が髪とスカートの裾《すそ》を乱す。私はそれを手で押さえる。その様子に与田くんは素早く風上に回り込み、自分の身体で潮風を遮る。潮風が和らぐと日溜《ひだ》まりに囲まれたような温《ぬく》もりを感じた。なのに「ねぇ、行動は全部マニュアル化されてるの」と、わざと意地の悪い質問をした。

「規則はありますよ。でも、細かいマニュアルはないですね。SP、あ、派遣員のことです。SPがその場その状況に応じて考えるんです。大体、マニュアルで対応されたら、こんなサービス淋しいだけですよ」

「そ、そうね」

「ま、確かに仕事なんですけど、意識して誰かを大切にしようって考えてみるのも案外いいもんです。なんか自分がいい人になったみたいで。結局は自己満足、自画自賛ってことなんですけどね。でもこれが、意外とハマっちゃうんだなあ、ハハハ」

青臭くて甘っちょろいなと思う反面、その分、彼に無理のなさを感じる。

〝ゴォー〟という爆音と〝キャー〟という悲鳴が頭上から聞こえた。ジェットコースターだ。私がそれを見上げると「乗ってみます？」と訊かれた。

「ううん、昔からあの手の乗り物は苦手。それに、最近の私はもっと凄《すご》いジェットコースターに乗せられているようなものだし……」とつい愚痴った。

「一緒に乗ってもいいですよ、そのジェットコースターに。だって、そのために僕は呼ばれたんでしょ？　ねっ？」そう言って与田くんは私の顔を覗《のぞ》き込んだ。

それは認めたくなかったことだったが……。

「ま、いいわ。私が愚痴らないと、与田くん、仕事にならないんだものね」

負け惜しみだというのは分かったはずなのに、彼は「ご協力、感謝いたします」とおどけてみせた。

赤レンガ倉庫へと延びる舗道を歩きながら、会社でのトラブルをポツポツ話し始める。

「そりゃあ酷《ひど》い。涼子さんが怒るのも無理はない」と、同調し、私のひと言ひと言に相槌《あいづち》を打ってはリアクションを返してくる。それはまるで、マラソンランナーに伴走するコーチの声援のように、私の胸にどんどんフォローの風を送り込んだ。つい歩くスピードまで速くなる。いつの間にか私は「でしょ、でしょ」という気分になり、言葉は止めどなく溢れていた。

「涼子さん、もっと溜まったもの吐き出しちゃおう。悪口、罵詈雑言《ばりぞうごん》なんでもOK」

少し躊躇《ちゅうちょ》しながら「一体、私のどこが独善的だって言うのよっ」と声を出すと「まだまだインパクトが足りないなあ。はい、もっと大きな声で」と与田くんが囃《はや》し立てる。

「態度がでかくて悪かったわねっ」

「グッド。いいよぉ、その調子」

「陰口が恐くて仕事ができるかっ」

「その通りっ」

「みんなブン殴ってやるっ」

「そうだ、ガツンといけっ」

歩く速さというより、もう私たちは舗道を走っていた。擦れ違う人たちが怪訝《けげん》そうな顔をしても、全然気にならなかった。

「はぁはぁ。お前らの分まで稼いでるんだ」

「ごもっともっ。はぁはぁ」

「はぁはぁ。どいつもこいつも、私のこと、なめんなよー」

「そうだ、なめんなよー。はぁはぁ」

「はぁはぁ。こんなに頑張る女はいなーいっ」

「そんな涼子さんを、僕は全面的に支持しまーす。はぁはぁ」

さすがに息切れして、私たちはガードレールに腰掛けた。汗がじんわりと肌に滲《にじ》む。汗を感じるならやっぱり温かい方がいい。

「はぁはぁ。与田くん」

「はぁはぁ。なんですか？」

「はぁはぁ。腹へったし、喉渇《のど》いたあ」

「はぁはぁ。それも全面的に支持しまーす。ハハハハハハ」

「フフフフ……」与田くんの笑いにつられて私も笑った。

「涼子さん」

「はぁい？」

「今日、初めて笑いましたね」

赤レンガ倉庫内にあるカフェダイニングに入った。混雑していたが、丁度お客の入れ替えのタイミングに当たりテラス席に座ることができた。大《おお》さん橋《ばし》や客船、ベイブリッジ、海上を行き交う船舶、何より海と空が大画面で臨める眺めのいい席だ。

サラダやお薦めのパイ包み焼きやら適当にオーダーし、ふたりでシェアして食べる。与田くんの食べっぷりはなかなか豪快だ。そういう男を間近で見るのは気持ちがいい。またそれが彼の風貌《ふうぼう》に合っている。

「もしかして、食事してなかった?」

「実は……。朝、梅干し食べただけです」

「えっ、梅干し?」

「うちの実家、和歌山で梅干し作って売ってるんです。紀州《きしゅう》といえば梅ですからね。で、山ほど送ってくるんですよ。それで……」

「でも、ちゃんと食べなきゃだめよ」と言いかけた途中で、与田くんが切り返す言葉が分かった。

「それは僕の台詞《せりふ》です」

……やっぱりね。

「フフフ」

「ハハハハ」

ふたりは同時に笑った。笑いながら、ふと思った。周りからすると、私たちはどんな関係に見えるのだろう？　恋人同士には思われないかあ。精々、仲のよい姉弟《きょうだい》？　もしそうだとすれば少しばかり残念な気がした。何をばかなことを私は考えているんだろう？

粗方、料理を平らげた与田くんは、喉を鳴らしながら残ったアイスコーヒーを飲み干した。

「それにしても涼子さん、結構足速いですね。ヒール履いててあれだけ走れるなんて。それに、脚、きれいだし……」

咄嗟《とっさ》に気恥ずかしくなり、テーブルの陰に脚を引っ込めたが、当然、きれいだと褒められて悪い気はしない。

「さすがは褒め屋、本領発揮？」

「今の商売抜きです」

思えば、スカートを穿《は》いて脚を出すのも久しぶりだ。会社ではモノトーン系のパンツスタイルばかりになっていたし、そんな格好でチーフとやり合っていれば、もはやそれは鎧《よろい》か戦闘服にしか見えなかっただろう。

引っ込めた脚を、与田くんの視線がチラッと追う。

「ふーん、与田くんも男の子なんだねえ」

余裕が少し出始めた私は、今度は逆にテーブルの陰から脚を出して「触ってみる?」とからかった。

「残念ですけど、そういう直接的な接触は規則違反なんで」

「あら、お堅いんだ」

私はテーブルに身を乗り出し、小声で「エッチしようって言ってるんじゃないのに」と更にからかう。

「そういうの、セクハラですよ。大体それじゃあ、違うサービス業になっちゃうじゃないですか。褒め屋と出張ホストは違うんだから、まいったなあ」

「へぇー、違うんだあ」

「それに誘われても、満足させてあげられるほどの立派な武器持ってないし」

「武器?」と訊《き》き返すと、与田くんは視線を自分の下半身へチラッと落とした。意味が分かるとぽっと赤面する。

「はい、セクハラのお返し。これでチャラですね」

「やられちゃったわ」

こんなくだらない会話で笑っている。会話かあ……。辰彦が求めていたものは、きっとこの程度のことなんだと改めて気づく。

支払いを済ませて店を出た。

「ごちそうさま。お陰で一食分浮きました」と、与田くんはペコリと頭を下げた。

「どういたしまして」

「さて、まだ歩きますか」与田くんが問いかける。

　この辺りにはインテリアショップもたくさんある。迂闊《うかつ》に建物の中に入り家具を目にしてしまうと仕事を思い出しそうだった。

　潮風もだいぶ凪《なぎ》になった。日差しも充分にある。

「うん、歩こう。それに料金分はちゃんと働いてもらわなくっちゃね」

「しっかりしてますね、ハハハ」

　ふたりはまた並んで歩き出した。


　大さん橋を通過する。もうふた駅分歩いたことになる。

「与田くんって、昔からそういう人だったの？　つまり誰かを褒めたり励ましたりするのが得意だったのかなってこと」

「どうなんでしょうねえ。あ、でも、影響されたとすればオヤジですかね」

「お父さん？」

「うちのオヤジはとにかく息子たちを褒めましたね。僕がいちばん記憶に残ってるのは、自転車乗りの練習かなあ。小学校の入学前、まだ補助輪つけてたんですよ。友達は補助輪なしでスイスイ乗ってたのに……。だからみんなにちょっとばかにされたりして。で、悔しいからオヤジに言って外してもらったんです。でもいきなり乗れないじゃないですか。ガンガン転ぶんです。それでもオヤジは〝上手《うま》い上手い〟って褒める。決して〝だめ〟とか〝下手〟って言わなかった。膝《ひざ》とか擦りむいて血なんか出てるんですよ。でも褒められれば嬉《うれ》しいから頑張りますよ。で、日暮れまでやって、最後に〝よう頑張ったな〟ってごつい手で頭、グシャグシャって撫《な》でる。で、うちに帰って風呂《ふろ》入りながら〝よう頑張った〟って、また頭をグシャグシャって」

　空の遠くを眺めながら話す彼の顔は六歳の少年のものになっていた。

「うちの父は正反対のタイプだったなあ。どんなに頑張っても、頭ひとつ撫でてくれなかった」

　父は「それはだめだ」「あれはだめだ」と、まずは否定的な物言いをする人だった。物心ついた頃から、ストレートに褒められた記憶がない。損保会社に内定したときも「なんだ保険屋か」と無愛想に言われた。母は「嬉しいけど素直に言えない人なのよ」と庇《かば》ったが、正直、がっかりを通り越して呆《あき》れてしまった。でも、もしかすると、そういう父に私は似ているのかもしれない。だとすると、有り難くないＤＮＡを受け継いだものだ。

　与田くんにそう嘆くと「涼子さんは充分素直な人ですよ」と慰める。

「嘘つきねえ」

「嘘じゃないです。だって涼子さん、すぐ顔に出ますもん」

返す言葉がない。主導権を彼に握られてしまったような気分になる。

「オヤジの口癖は、人も梅の実も褒めてやれば立派に育つでしたね。ほら、花にきれいだねって話しかけて水をやると活《い》き活きするって話聞いたことないですか。あれと同じです。科学的にはどうかなって疑問もあるけど、まあ、オヤジは最後まで、そう信じてましたね」

「ん、最後までって……」

「おとし、ガンで……」与田くんは立ち止まった。

「そ、そうだったの……」

「ま、褒め屋をやることになったのも、もしかしたらそんなオヤジの導きですかね。今度はお前が誰かを褒めてやれっていう……なーんてね。あ、すみません、なんか湿っぽくなっちゃいましたね」

「ううん」私は首を振った。

「あ、そうだ。涼子さん、ソフトクリーム食べます？　食事をごちそうになったお礼に、今度は僕が。ベンチで座って待っててください」

そう言い残すと与田くんは、売店の方へ駆け出した。

ふと気づくといつの間にか山下《やました》公園まで辿《たど》り着いていた。港に氷川丸《ひかわまる》、反対側にはマリンタワーが見える。横浜の原風景だ。

色の剝《は》げ落ちたベンチに座って与田くんを待ちながら周囲を見渡す。ここにも多くの家族連れやカップルがいる。しかし不思議なことにそういう人たちを見ていても、電車の中で感じた疎外感がない。むしろ、幸せな風景に感じられる。

「お待たせしましたあ」

ソフトクリームを両手に持った与田くんが戻って来た。

「こう見えても結構甘党なんですよ。梅干し屋の息子が甘党って笑えます?」と片方のソフトクリームを私に差し出す。

「ありがとう」

ベンチに座るふたりの足元に鳩が集まってきて、餌をねだるように鳴く。

「ねえ、ご実家の梅干し屋さんは、今はどうなってるの?」

「ああ、ふたりの兄貴が継ぎました。なんかネット販売とか始めちゃって儲《もう》けてるみたいですよ」

「じゃあ、戻らなくてもいいのね?」

「え?」

「褒め屋のプロになればいいのに。いや、その、なんとなく向いてるような気がして」

「それもいいですね。でも、生身の人間と向き合うのって難しいです。この間ひとり暮らしのおばあちゃんの所へ派遣されて、それこそ他愛《たわい》ない話とか、一緒にお茶飲んだり、リモコンの電池取り替えてあげたりして過ごしたんです。いい孫ってところですかね。でも、時間がきて帰るときになったら、泊まっていってくれって涙ぐまれちゃって……。でもそういう訳にもいかないし。また来るからって、やっと玄関を出たんですけど、振り返ると路地でずっと手を振ってるんですよ。なんかとてつもない罪を犯したような気持ちになって……」

そう話す彼の目が赤くなりかける。自分の立場を棚上げして、ついもらい泣きしそうになる。

「褒め屋は根本的な問題の解決まではできないんですよ。そこが歯痒《はがゆ》いというか、ジレンマというか。最終的に乗り越えなきゃならないのは、やっぱりその人本人ですからね。そう思うと、このまま褒め屋のプロになるのはどうかなって……」

与田くんは立ち上がり、ソフトクリームの巻き紙を私の分と一緒にゴミ箱に捨てた。

足元で鳴いていた鳩たちが一斉に空へ飛び立った。

彼は私の隣に戻ると腕時計にチラリと視線を落とし「もうすぐ四時ですね」と呟《つぶや》いた。

その声に私の胸の芯《しん》がビクッと怯《おび》えた音をたてる。それはもう否定できないほど切ない音だった。それを彼に聞かれまいと、胸を抱きしめるように両腕で隠した。

あと数分で彼は目の前から立ち去ってしまう。そう思うと、どうしようもなく淋《さみ》しさが襲ってくるのに、私の口から出た言葉は「お仕事ご苦労様でした」だった。まったく可愛げがない。

「涼子さん」

「はい？」

「まだ十五分ありますよ。だから、ここ、どうぞ」

与田くんは自分の膝《ひざ》をポンポンと軽く叩《たた》いた。

「え？」

「ここ貸します、膝枕」彼は微笑みながらもう一度同じ仕草をした。

「え、ああ、でも……」

彼は動揺するそんな私の肩を片手でグッと引き寄せた。

「直接的な接触は規則違反なんでしょ？」

「まあ、そうなるみたいですけど、規則より大切なものもあるんです」

彼の指先から伝わる温かい力は、最後のつよがりのバリアを砕いた。全身の力が抜けていくのが分かる。もう任せよう……。

彼に導かれるまま、私は上半身を折り曲げると彼の太腿《ふともも》の上に頰を載せた。

彼は「大変素直でよろしい」と、私の頭をグシャグシャっと撫でた。きっと彼のお父さんが昔、彼にしてあげたのと同じように……。

「涼子さんは、今日一日頑張りました。明日《あした》からもまた頑張ります」

彼はゆっくりとした口調で囁《ささや》き始める。

そっと瞼《まぶた》を閉じると、すべてのざわめきが消えて何も聞こえなくなる。ただ与田くんの声だけが、青く澄み切った高い空の上からふわふわと舞い落ちるように、心のいちばん敏感な部分にしみ込んでくる。そしてそれはきれいなエネルギーになり、全身の隅々まで運ばれてゆく。

「涼子さんはやさしくて、笑顔が素敵で、一生懸命生きています」

与田くんの言う通り、抱えた問題を解決できるのは自分だけだ。明日から劇的に物事が好転するはずもないだろう。でも立ち向かう覚悟はできた。僅《わず》かな時間の中で、私は生まれ変わったようだ。

彼に会えてよかった……。

「もう何も心配はいらない。きっとすべてうまくいきます。涼子さんなら大丈夫、大丈夫、大丈夫……」

閉じた瞼から熱い涙が痛いくらいに溢《あふ》れ、頬を伝ってゆく。それは、悲しみや怒りや憎しみからくるものではない。清らかな湧き水のようなものだ。

「……ありがとう」

流れる涙を払おうとして涙の筋を指先で辿る。触れた右頰に、まだあの突起物は残っていたが、そんなことはもうどうでもいいと思えた。

トイレットペーパーの芯

「おっ、冷てえ」

無防備に座った便座の感触に思わず尻《しり》を浮かせた。そうか、もうそういう季節になったか。それにしても朝一番に入ったトイレで晩秋の訪れを知るとは、なんとも風情がない。気づけば、歪《ゆが》みの生じたドアの下から入り込む隙間風も涼しいというより寒い。

私は座ったまま、身体を右に捻《ひね》って保温のスイッチを入れた。

二年程前だったか、妻の雅美《まさみ》が「うちも温かい便座にしない？」と言い出した。

「ん？　温かい便座？」

勿論《もちろん》、その存在を知らない訳でも、使ったことがない訳でもない。ただ、そういうものは便器を全取っ替えしなければならないのだと思っていた。

「田中さんち、便座だけ取り替えたんだって。それがいいのよ」

近所の友人宅で使った便座が気に入ったらしく、妻はそんな話を持ち出したのだ。

真冬の深夜にトイレに立ち、冷たい便座に腰掛けた途端、そのあまりの冷たさに身震いし、目がすっかり覚めてしまうこともあった。それに歳を取ると、そのまま身体に異変が生じ、倒れてしまうなどという話も聞く。尻を出したままの姿で発見されるのはなんとも使ってみれば、やはり快適だ。だが、今や世間では珍しいものではない温かい便座も、我が家の中では妙にハイテクなものに見える。

滑稽《こっけい》でかなわんな。

「じゃあ、そうするか」

この家も大分ガタがきたな。築四十年以上か。

元々は製鉄会社に勤めていた妻の伯父《おじ》が買った建て売り住宅だ。伯父たちには子どもがなく、姪《めい》である妻は可愛がられていた。そんな伯父夫婦は、私たちが結婚してすぐ、転勤で博多《はかた》に移ることになった。そこで私たちに白羽の矢が立った。

「家賃は安くてもいいんだ。だから二年くらい、ここに住んでくれないか」

つまり管理人をしてくれという話だ。まだ若かった私たちにすれば、その当時借りていたアパートと同じ家賃程度で一戸建てに住めるというのは魅力的だった。迂闊《うかつ》に傷などつけられないと多少の気遣いは必要だとしても、どう考えても悪い話ではなかった。

ところが、目安の二年が過ぎ、四年、六年と過ぎても、伯父たちが東京に戻ることはなかった。

「私たちはもうこっちで暮らす。で、どうだ、いっそのこと、家を買い取ってくれないか」

定年を間近に控えた伯父から、またしてもそんな提案があった。博多での生活が気に入ってしまったという理由だった。

留守を預かっている内に子どもがふたり生まれ、一家四人、この家で暮らすことにすっかり慣れてしまっていた頃だ。それは渡りに船というもの。おそらく一般的な物件からすれば、格安な値段で譲り受けたはずだ。それでも若い私にとっては高額な買い物に違いなく、親からの支援と銀行からの借り入れを行い、私たちは三鷹《みたか》駅から徒歩十分の場所に、五十坪の土地と4LDKの家を〝正式に〟手に入れたのだ。

当時、周囲には野菜畑が残る場所とはいえ、まだなんの肩書きもない平社員が都内に一戸建てを買ったのだ。上司や同僚から「うまくやりやがったな」と、やっかみも含めてよく冷やかされたものだ。

だが、そんな我が家も、ドアの歪みを見るまでもなく家のあちこちに不具合がある。妻が大掛かりなリフォームを希望する気持ちも分かる。

「そうは言ってもなあ……」

そう呟《つぶや》きながら、トイレットペーパーに手を伸ばそうとすると、残り少なくなっている。あなんだ、あとひと巻きで終わりじゃないか。これくらい残しておいても用は足りない。あいつも新しいのと取り替えてくれればいいものを……と、毎度のことながら、妻の気の利かなさを嘆く。

「どうして、無くなったら次のに替えないんだ？」

「あ、そう、無くなってた？」

その度に、妻に文句を言っても、まるで相手にされない。それどころか「あなたが無駄に使うから、早く無くなっちゃうんじゃない」と反撃をくらう。

私にはカラカラと音を立てながら勢いよくトイレットペーパーを引く癖がある。いちいち数えている訳ではないが長年の感覚で、五重巻きほどの束ができるまで引っ張る。妻に現場を見られたことなど一度もないが、その音で分かるらしく「なんでそんなにいっぱい使うのっ」と叱られっ放しだ。

「小学校のときの担任にさ、二重や三重にしたくらいじゃ大腸菌は紙を通り抜けるって脅かされてな」

作り話をしているのではない。もう五十年近く前のことだが、確かに先生は朝の学級会のときにそう言った。大したことではないひと言が、後々まで影響することはままある。もっとも、その頃、小学校の便所にあったのは、トイレットペーパーではなく〝便所紙〟と呼ばれていた、少しごわっとした四角いちり紙だった。

「ちゃんと石鹸《せっけん》で手洗いしましょうって意味なんじゃないの？　その先生、紙をたくさん使えって言ったの？」

妻の指摘通りだろう。

「結局、同じだけ引っ張るんだから、シングルだっていいのに」

会社のトイレに備え付けられたペーパーはシングル仕様で、巻き取る際、半端なところで切れてしまい苛々《いらいら》させられる。それになんとなく倍の量は感触がいい。

「オレの唯一の贅沢《ぜいたく》なんだから、それくらいケチるなよ」

「何言ってんの。あなたがそんなふうだから、裕子《ゆうこ》も大輔《だいすけ》もカラカラ、カラカラって。もう、ただじゃないのよ」

「あいつらのことは関係ないだろう」

「あなたから大腸菌が手に付くぞって言われたって」

ああ、大昔に言ったかもしれないなあ。その罰という訳でもあるまいが、ロールの取り替えの役目は不思議と私に回ってくる。いや、単に他の者が面倒臭がって放っておいただけだ。

しかし、最近は替える回数が減ったな。四人がひとつ屋根の下で暮らしていたときは、二日にいっぺんくらいの割合で取り替えをしていた気がする。が、四年前に娘が嫁に行き、先々月、息子が結婚して家を出てからは、五日ほど保《も》つようになった。家族の数が半分になったのだ、それは当然のことかもしれない。些細《ささい》なことで、家族が減ったことを再確認するとは……。

「さてと」

腰を屈《かが》め、尻を突き出した格好で、小窓に並べられた新しいロールに指先を伸ばした。

人には見せられん姿だな、と思わず苦笑する。

ホルダーからトイレットペーパーの芯《しん》を引き抜き、太いロールに替えた。

「おうおう、お前もお役御免か」

手にしたトイレットペーパーの芯を見ながら、そう声を掛けた。みんなにこき使われ、ありがとうのひと言もなく、細ったらポイだもの。

「まるでオレのようだ……なーんてな」

今朝はやけにいろんなことが気になる。だが、用を足しながら独り言を言うなんて可笑《おか》しなものだ。

「やれやれ」私は小さく首を振った。

パジャマのズボンを引き上げ、水タンクのレバーを押し下げたときだった。

「あなたーっ」

妻の叫び声が家中に響き渡った。何事かと思い、慌ててトイレを出ると中廊下を転げるように走って台所へ向かった。

「ど、どうしたっ」

「あれ、あれ、ほら、そこっ」

朝食の支度をしていた妻は、冷蔵庫と壁の間にできた角に身体を入り込ませるようにしながら、包丁の先で流し台の下を指した。陰になった場所を、目を凝らして覗《のぞ》くと、親指大のゴキブリが黒光りの背中をこちらに向けていた。

「なんだ、ゴキか」

「なんだじゃないわよ」

苦手なのは分かる。私とて好きではない。でも、そんなにわめき散らさなくてもよさそうなものだ。

「は、早く、なんとかして」

「お前はいちいち大袈裟《おおげさ》なんだからさ」

あまりの怯《おび》えぶりに、ちょっとばかり可笑しくなり、しばらくの間放置してみようかというアイディアが浮かんだ。しかし、後で文句を言われることを考えれば、それは得策ではない。しかも目にしてしまった以上、家の中に野放しにするというのも気持ち悪い。

「おい、シュッはどこにある？」私は指でスプレー缶を押す真似をした。

「流しの下に決まってるでしょ、もうっ」

決まってるって威張られてもなあ。だが、缶を取るには流し台の扉を開けなければならない。

「扉を開けたら逃げられちまうな」

「どうでもいいから、さっさとやっつけちゃってよ」

「うーん、あ、そうだ。お前、ちゃんと見張っとけ」

「どこ行くのよっ」

私は台所続きの居間に移動すると、テーブルの上にあった新聞紙を手にした。今日の朝刊だが仕方あるまい。それをくるくると棒状に丸めると台所へ引き返した。

ゴキブリは身じろぎもせず、まだその場に居座っていた。目立たないようにしているつもりなのか。

「よーし、そのままじっとしてろよ」

丸めた新聞紙を振りかざした瞬間。いや待てよ、叩《たた》いてビチャッてなったら気色悪いな、頭の中に潰《つぶ》れた胴体からはらわたが出たゴキブリの像が浮かんだ。余計なことを思ったせいで、見定めたつもりがつい手元が狂い甘く入ってしまった。それでも新聞紙の下にゴキブリを捕らえた。

「やった？」

「たぶん」

そっと新聞紙を離すと、ゴキブリはススッと流し台伝いに逃げ、妻の方へ向かった。

「きゃー、何やってんのっ」

「あれ、くそーっ。おっと、そっちか。こら、逃げるな」

焦った私は握った新聞紙で連打したが、まったく命中しない。動き始めたゴキブリのなんと身のこなしの速いことか。おまけに新聞紙は無惨な形に広がり、へなへなになってしまった。

「あ、しまった」

流し台と壁の隙間に逃げられた。結局、捕り物劇は私の惨敗に終わった。

「もうっ、何やってんのよ」

バツの悪くなった私は、流し台の下から、無言のままスプレー缶を取り出すと、ノズルを隙間に突っ込んで噴射した。

「これでコロッといくんじゃないのか」

苦笑いをしながら振り向くと、妻が呆《あき》れ顔で「こんなことなら、やっぱりリフォームしとけば、ゴキなんて出なかったかもしれないのに」と私を睨《にら》んだ。

朝っぱらからひと騒動あったものの、週末の食卓は静かだ。いや、週末だからなのだろうか。

「この先、ずっとお前とふたりか」

塩ジャケに箸《はし》を伸ばしながら、ついそんな言葉が口からこぼれた。

「不満なの？　それなら私の方が不満だわ」

「お前といるのが嫌だなんてひと言も言ってないだろう」

裕子が嫁に行った後も家の中が広く感じられたものだが、大輔が出たら一層強くそれを感じた。

仮に目の前に姿がなくても、二階の床を歩く足音が聞こえれば、その気配に家の中の空気が柔らかくなったものだ。大学生や社会人となって家を空けがちでも、必ず帰ってくるという場所がこの家だった。

「小さいときは、ぎゃーぎゃー、バタバタと煩《うるさ》いだけだと思ってたが、こうなると寂しいもんだなあ」私は物音のしない天井に目を向けた。

仮にずっと夫婦だけの暮らしであったらどうだったか分からないが、子どもたちのいる賑《にぎ》やかな生活を味わってしまうと、なんだか寂しい限りだ。

館林《たてばやし》の両親もこんな思いをしたのだろうか。ふと、そんなことが頭に浮かんだ。

私は三人兄弟の末っ子。兄たちも私同様、大学進学に伴い上京。そのまま東京で就職した。

最後に残った私が上京して以来、実家には両親だけが住んでいる。多少、あっちが痛いこっちが痛いということはあっても、八十を過ぎても両親に深刻な持病がある訳ではない。

近いからいつでも帰れる、兄貴たちが帰ったりするだろう、そんな考えがあるせいで、なかなか実家に足を運ばない。決して、意識的に遠ざけている訳ではない。子どもたちも、部活だ、受験だという時期を迎えると、増々《ますます》、一家揃って帰省する機会も減った。かろうじて、お盆や正月には顔を出せたが、それも日帰りだ。中途半端に近いというのは、帰省するという覚悟がない分、どこか雑なものになってしまう。

「大輔なんか、結婚してから一度も顔を出さないんだから」

妻が不機嫌な顔をする。女親にとって息子は格別に可愛いものだと聞くが……。

「まあ、オレも実家にあんまり行かないんだから、あいつらのことばかり責められないしな」

私たちが頻繁に親の許《もと》を訪れるようにしていれば、それは学習として子どもたちにも植え付けられたかもしれない。

「館林は近いっていっても、車で二時間はかかるのよ。あの子たちなんて、電車に乗ればすぐのところにいるくせに。もう目と鼻の先じゃない」

大輔は長男でもあるし、同居ということも考えられたが、嫁から私たちとの同居はしないという結婚条件を出されたようだ。嫁の実家の祖母と母親の間に長年の確執があったらしい。それを見て育った嫁が別居を望んでも仕方ないとは思うが。

「母さんが、意地悪するとでも言うの？」と、妻が愚痴を漏らしても、息子は「だってしょうがないじゃないか、敦美《あつみ》がそう言うんだし」と、三つ年上の嫁の言いなりといった様子だ。

「いくら姉さん女房だからっていっても、大輔ったらすっかり尻《しり》に敷かれちゃって」

「まあ、あんな男でも一緒になってくれたんだ、それだけでも御の字だぞ」

中学の頃から、アニメのフィギュアに凝るようなタイプで、私たちの年代からすると、いい年をした男がお人形遊びをしているようにしか見えず、先行きを案じたものだ。それでも銀行に就職し、嫁もきた。

「敦美さんが避けてるのかしら」

「そんなことばかり言ってるから、寄り付かないんじゃないのか」

「あの子たちに言ったことはありません。あなただから言えるんじゃないの」

それはどうかな。それが本当なら、オレにも言わなくていいんだけど。

「ねえ、この分じゃ、私たちは孫なんて抱っこできそうにないわね」

この年になってくると、友人の中には孫のひとりやふたりいる者がいて、孫の写真をケータイの待ち受け画面に設定している者も少なくない。

「お前らも落ちるところまで落ちたものだ」そんなふうに呆れたように言うものの、内心では羨《うらや》ましい。

「おばあちゃんって呼ばれるのは嫌だけど、やっぱり可愛いんでしょうね。山田さんなんかもすっかり孫にハマっちゃって、今度は何を着せようかなんて、もうデレデレだもの」

「大輔んところは子どもは要らないって言ってる訳じゃないし、抱っこもできないっていうことはないいさ」

「ばかね、子どもができたからって抱っこできるとは限らないのよ。最初から嫁の言いなりになってるんだから、私が手を出したりしたら嫌な顔されるに決まってる。そんな窮屈な思いをするなんて嫌だわ」

妻の物言いを聞いていると、確かに別居して正解だったのかもしれない。いじめる気などなくても、自分の思い通りにならないと不満になる。それがいつの間にか態度や言葉に出るようになり摩擦が生じる。迷惑なのは間に挟まれた人間だ。世の中も会社も、そして家族も同じこと。

「敦美さん、裕子と同い年なのよ。ぼやぼやしてたら、あっという間に高齢出産じゃない。最近は初産が遅いっていうけど、あんまり遅くなったら危ないし」

「自分の娘のことは棚に上げて、嫁にそれは求めづらくないか」

「はあ」と、大きな溜《た》め息をつくと、妻は言葉を続けた。

「もうっ、だから、グダグダ言ってないで、裕子が産めばいいのに」

矛先が娘へと向かった。

娘は結婚が決まったとき「私、子ども作らないから」と、そう宣言した。まあ、そうは言っても心境も変わるだろうと気に留めることもなかったのだが、今に至るまで、その〝公約〟を確実に実行している。

「約束を守らない政治家よりマシだろう」

私は茶化すように笑ったが「何をくだらないこと言ってるんですか」と、にこりともせずに言い返された。

「冗談だろ、冗談……」

「大体、あなたがあんな会社の世話なんかするから」

就職氷河期だ。親だろうがなんだろうが、コネがあるなら使わない手はない。知人のツテで、娘を映画配給会社に入れたのだ。広報を担当しているとかで、ハリウッド俳優たちの来日がどうのこうのと言いながら、私の分からない世界で忙しく働いている。ただ結果的にそれが仇《あだ》となった。

「じゃあ、なんだ、就職させずにうちに置いとけばよかったってことか」

「それでもよかったんじゃない」

「家事手伝いか。ばか言うなよ、今時そういうのはさ、資産家のうちの話だろ。でかくなった娘をただ食わしてるなんてできやしないよ」

「うん、そうかもしれないけれど。でも仕事仕事って、裕子ったら。あの調子じゃ、家事だって満足にやってないんじゃないかしら。この間、ちょっと様子見に行ったら、流しに洗い物が溜まってたもの」

「おいおい。いくら娘でもそういう粗探しはやめた方がいいんじゃないか」

とは言ったものの、そんな状態でよくぞ離婚話が出ないものだと思う。もっとも、娘の亭主も息子同様に娘の言いなりらしいが。いずれにせよ、男には受難の時代だ。

「こんなことなら、やっぱりこの家もリフォームとか建て直すとかして、ちょっと快適に暮らせるようにしておけばよかった。ゴキブリの出るような家じゃ、あの子たちだって住みたいと思わないわよね」

妻は箸《はし》を持つ手を止めて部屋中に目を配った。

「そりゃあ、あいつらのどちらかでも同居するっていう意思表示があったなら、そういうことも真剣に考えなきゃならなかっただろうけど。大体、リフォームにしろ、仮に新築するにしても金がかかるしなあ。どうせ、あいつらはアテにならんし。今更、この年になって借金抱えるっていうのも気が進まん。と、なればこの先、老人介護の施設に入居するってこともある。そんときは、この家も処分しなくちゃ無理だろう。預金は取っておきたいし」

生きていても死んでも金の心配はついて回る。それでもぽっくり逝ければいいかもしれないが、寝たきりにでもなったら、他人《ひと》様に下の世話をしてもらうにも金が要る。なんでも金次第とは、まったく世知辛い世の中だ。

「もうやめてよ。そういう暗い話。ご飯が不味《まず》くなっちゃうじゃない」

「だが、それが切実な現実だぞ。あ、そうだ、うちの部の真田《さなだ》な、あいつの母親が肝臓を患って長いこと入院してるらしい」

「真田さんって、まだ若いでしょう？　っていうことは親御さんも」

「ああ、オレたちとそう歳は変わらん。真田が〝大変だ、困った〟っていつもこぼしてるのを聞いてるとさ、なんか他人事じゃないように思えてさ」

「ああ、そう。ま、でも、とりあえず、私もあなたもどこも悪いところないし。まあ、気になるといえば、あと二年であなたが定年ってことかしら。あ、そうだ、再就職のアテとかあるの？」

「心配事は、そっちか……。お前らしいな」

私は苦笑いをしながら、空になった味噌汁《みそしる》のお椀《わん》をご飯茶碗《ぢゃわん》に重ねた。

「あのさあ」

「はい？」

「実はな、昨日、異動の内示があった」

私は親会社に商社を持つロジスティックス会社で海外事業部の部長職に就いている。主に中国と日本の間の物流システムを構築する仕事で、国内のメーカーを顧客に、物資の調達から物流の設計を総合的に請け負うという部署だ。

今年の六月、親会社から下りてきた四十代の社長が誕生してから、各部署の事業内容の見直しが進んだ。このところ競合他社に水を空けられたことが理由だ。人事異動も盛んに行われた。これまで一定の業績を残してきたという自負もあった私は、あと少しで取締役になれるのではないかという期待もあった。しかし、出世と思われる人事は課長クラスに集中した。若返りの意図は感じられた。

「物流センターを任せたいって話だ」

〝任せたい〟といえば聞こえはいいが、入社以来、ずっと本社勤めでやってきた私にとって、それは体のいい左遷に感じられた。私のような古株は邪魔なのだろう、と僻《ひが》みっぽくもなる。大体、こんなまどろっこしいやり方をしなくても、定年間近の私など、二年も放っておけば社を去るのだ。それすら待てないということか。

「センターを子会社化して、オレは初代の社長だってさ」

「へえ、社長さんなの」

「お前、フィリピンパブで呼ぶような軽い言い方をするなよ」

肩書きだけ見れば〝部長〟より〝社長〟の方が位は上だろうが、正社員を僅《わず》か十数名従えるという小規模会社の社長だ。

「しかも定年を六十五まで延ばすからって餌までぶら下げられたよ」

「あら、いい話じゃない」

「そう言うと思ったよ」

だが、そんな口約束などないに等しい。外に出してしまえば関係ないという腹だろう。

「だけどお前、物流センターがどこにあるか知ってるか？」

三鷹から本厚木《ほんあつぎ》まで、電車に揺られているだけで一時間半。本社のある新宿なら、玄関からデスクまで五十分だ。

「どうしたもんかねえ」

「え、どういうこと？」

私があまりに気のない物言いをしたものだから、妻は怪訝《けげん》そうに「まさか、断ったりする気じゃないでしょうね」と尋ねてきた。

「なんかモチベーションがあがらなくてな」

「もし断ったらどうなるの？」

「ま、ちょっと居座るってことも難しいかな。そうしたら早めの退職も考えなくちゃならんだろうなあ」

「だったら迷うことないじゃない。再就職だって難しいんでしょ」

「なんだ、まだオレを働かせるつもりなのか」

妻の言う通りだ。このご時世、年配の就職口が簡単に見つかるはずもない。断るなんて贅沢《ぜいたく》な話なのだとは思うが……。

「じゃあ、何するつもりなのよ？」

「まあ、そこが問題」

これといって熱をあげるほどの趣味もない。

「退職金で、お前と旅行三昧《ざんまい》っていうのはどうだ？」

「嫌ですよ。どうせどこに行っても、結局は私が世話をするハメになるんだから」

あっさりと拒否された。これ以上、話を続けても無駄だ。妻の答えは決まっているのだから。

「まあ、じっくり考えてみるさ」

私は椅子から立ち上がると、ボロボロになった新聞を持ってソファに移った。世間にもいろんな事件や問題が起こっているようだ。事の大小は違っても、我が家も同じだな。広げた新聞に目を落としながら、私は大きく頭を振った。

夕方、居間の照明をつけた頃だった。玄関のチャイムが鳴った。

「おう、誰か来たぞ」台所にいる妻に声を掛けた。

「誰かしら？」

妻が玄関へ向かう気配を耳で追っていると「あ、裕子」と妻が娘の名を呼んだ。どうやら娘が訪ねてきたようだ。

「ただいま」

娘は我が物顔で居間に入ってくるなり「あ、お父さん、いたの?」と言った。

「いたのって言い草があるか」

「お元気でしたかって訊《き》けばいいの?」

「お前は、ホントに減らず口が多いな」

「いてくれてよかったんだけどね。あ、そんなことより、ほら、これ買ってきたから、お父さんの好物」

娘は私の厭味《いやみ》などまったく気にする素振りもみせず、デパートの手提げ袋から海鮮太巻きのパックを取り出した。

「一緒に食べようと思って」

「もう、そんなことなら連絡くれればよかったのに。今さっき、ご飯炊いちゃったところよ」妻が口を挟む。

「ああ、ごめん。そうしようかなって思ったんだけど」

私は玄関口の方へ振り向いて「裕子、お前ひとりか?」と尋ねた。

「ううん。誠司《せいじ》は車停めに行ってる。このうちって車停めるスペースがないから不便よね。私たちの車が入る場所がほしいわ」

うちの敷地にも駐車場はあるが、そこには私たち夫婦が使うセダンが停めてある。なので、車でやってくる客には近くのコインパーキングを使ってもらうことにしている。それは娘夫婦も同様だ。

「何を勝手なことを言ってるんだ。大体、たまにしか顔を出さないやつのために、そんな余分なものが造れるか」

「そうね。そんなこともちゃんと考えなくちゃね」

「はあ？　どういうことだ？」

「お父さん、お母さん」

娘はソファに腰掛けて、私たちと向き合うと心なしか神妙な顔つきになった。

「実はね、私、妊娠しちゃった」

そう切り出されて、私と妻は呆気《あっけ》にとられて顔を見合わせた。

「三ヶ月に入ったところ。まったく、誠司がヘマしちゃってさ」娘が小さく舌打ちをした。

「ヘマって……」

ちょっとばかり生々しい言われ方になんだか照れる。

「もう、めちゃくちゃ忙しいときに困っちゃう」と、娘は首を捻《ひね》る。

「まさか裕子、あなた産まないつもりじゃ」妻が血相を変えて身を乗り出す。

「やっだー、ちゃんと産むよ」

その言葉に、妻だけでなく私もほっとして肩の力が抜けた。

「でもね、問題もあるし。仕事がさ……。産むまでは働けるとは思うけど、産んだ後は、まあ、一年くらいは休職しなくちゃならないかもしれないし」

「なんだ、辞める気はないのか」

「どうしてよ。子どもができたくらいで会社辞めるなんてもったいない」娘は〝やめてよ〞といったふうに顔の前で手を振ってみせた。

と、「お邪魔します」という男の声が玄関から聞こえた。裕子の亭主だ。

ひょろひょろと背の高い誠司は、居間に入ってくると「お義父《とう》さん、お義母《かあ》さん、お久しぶりです」と頭を下げた。

「よおっ」私は軽く手を上げて応《こた》えた。

「誠司くん、おめでとう」妻がすかさず声をかける。

「え？」

「ヘマしたらしいな？　子どもだよ、子ども」と、私は腹を指差して笑ってみせた。

「なんだ、もう話しちゃったのか？」誠司は娘に訊いた。

「あれ、一緒に報告したかった？」

「いや、別に、いいけど」誠司は頭を掻《か》いた。

「それでね、お父さん」

娘の声が妙に鼻にかかったように甘くなる。

「なんだ、気持ちの悪い声を出して」

「私、考えたんだけど、ここ、建て直さない？」

「はあ？」

「二世帯住宅建てて、私たち家族と暮らさない？」

なるほど、そういうことか。海鮮太巻きを土産に持ってきた理由が分かった。

「その方が合理的で経済的じゃない。それに安心だし」

「誰にとって、そういうことなんだ？　まったくお前は調子がいいなあ」

つまり、警備員と子守、そして出資者がほしいということだ。

「ほら、大輔んところは、同居しない宣言してる訳だし、私たちがここに住んでも問題ないでしょう？」

昔から要領がいいというか、悪知恵が働くというか、もし遺《のこ》せる財産というものがあれば根こそぎ持っていくのは裕子だろうなと、妻と話したことがあった。

「でも、誠司くんはそれでいいのか？」

「いいのいいの。ね？」

娘は誠司が答える前にそう言って、同意を彼に求めた。

「うん、あ、はい」

「誠司くんがよくても、ご両親が」

「大丈夫。鳥取の家はお兄さんが継いでるし。それに婿養子になるって話じゃないもの」

同居するなら、息子夫婦より娘夫婦の方がうまくいくと聞くが……。

「サザエさんちみたいなもんだけどね。あ、でも玄関とか別の二世帯住宅だからね」

「おいおい。大体、お父さん、まだ〝うん〟と言ってないからな」

「何言ってるんですか、折角、裕子がその気になってくれたのに」間髪《かんはつ》容れず、妻がそう言って私を睨《にら》んだ。

が、すぐに妻は気を取り直して「もう、今日はいい話ばっかりだわ」と、にこにこ顔に戻った。

「他にも何かあったの?」娘が訊き返す。

「お父さん、子会社だけど社長になるんだって」

「おい、まだ決めた訳じゃないぞ。それにいい話なんかじゃ……」

「ふーん、そうなんだ。いい話じゃない」

「だからさあ……」

「で、しょう。なのに、厚木だから遠くて嫌だとか寝言言っちゃってるのよ」

「寝言? お前なあ。大体、遠いだけで渋ってる訳じゃ……」

「はいはい。でも、そう。裕子に赤ちゃんが。ああ、そうなの、よかったわ」

妻は私の異動のことなどそっちのけで、娘の懐妊や同居話を手放しで喜んでいる。

「あら、やだ。お母さん、お茶も出さないで。あ、それともビールにしましょうか。そうね、そうしましょう。お祝い、お祝い、ビールで乾杯」

妻は〝孫〟〝新しい家〟〝同居〟という希望がいっぺんにかないそうなので、すっかり上機嫌だ。

もう話は全部決まったような雰囲気だ。やれやれだな。

「ちょっとトイレ」

私はそう言ってトイレに向かった。中廊下の床板がギシギシと音を立てる。新しい家は快適なんだろうなあ。そんなことを考えながら、トイレの明かりを点《つ》けた。

用を足してふと足下を見ると、茶色いトイレットペーパーの芯《しん》が転がっていた。そうか、今朝のゴキブリ騒ぎで捨てるのを忘れたんだ。私はそれを拾い上げた。

おお、こんなに細身になっちゃって。とりあえずご苦労様ってところだな。お前はこれでお役御免だけど、どうやらオレはそういう訳にはいかないらしいぞ。カラカラと周囲の人間に振り回される人生がまだまだ続く。今しばらくその繰り返しだ。でも、必要とされて身が細るなら我慢のしどころなのかもな。小さな存在でも一応は中心にいる。回されているんじゃなく、オレを中心に世の中が、会社が、家族が回ってるんだ。そう思えば、多少気も楽だ。いや、いいさ、誰も分かってくれなくても。

トイレットペーパーの芯に話し掛けるなんてな。思わず鼻を鳴らして苦笑した。

トイレを出ると、光の零《こぼ》れる居間の方から妻や娘たちの笑い声が聞こえた。まったくいい気なもんだ。だが、その人の集う気配は悪くない。いいや、しあわせだ。

あとがき

やっと角川書店から短編集を出すことができた。僕としては感慨深いものがある。実は僕と角川、いいや「野性時代」とは、ちょっとした因縁がある。

遡《さかのぼ》ること三十数年前、高校生だった僕は時間を持て余す状態だった。小さな頃から野球一筋だったのだが、高校の途中で野球をやめてしまった。が、これについては悔いが残っていて未《いま》だに練習をしている夢をみる。ま、それはさておき、とにかく暇になってしまった僕は原稿用紙と向き合うようになった。特に何かに突き動かされてペンを握ったのではない。昔から作文や読書感想文が得意だった僕は「暇だし、小説でも」と書き始めたのだ。内容は忘れてしまったが、一五〇枚くらいのモノだったと記憶している。それが小説と呼べるような代物なのか。ただただ気恥ずかしい。しかし、何を思ったのか、その原稿を出版社に送ってみようと大それたことを思い立った。送った先は「角川書店・野性時代編集部」。新人賞に応募したのではない。田舎の高校生がこんなものを送ってもポイとゴミ箱行きになるに違いないと思っていた。そう言い聞かせることで、無視されるショックを和らげようとしていたのだろう、嫌なガキだ。ところが、数ヶ月後、原稿が戻ってきた。手紙まで添えられていた。褒められはしなかったが、けなされることもなかった。むしろ、頑張って続けて書きなさい、そして新人賞に応募しなさい、というような内容のものだった。そうか出版社ってこういうことをしてくれるのか、と僕はそれで満足してしまった。それ以後、小説を書かなかった。今にして思えば、とんでもない恩知らずということだ。稚拙な文章を読み、手紙まで書く。それがどんなに苦痛、あるいは面倒なことか。

その後、僕は放送界へ足を突っ込み、そして次に作詞家としての道を歩む。一括《くく》りに業界といっても、音楽界と出版界は別世界。小説とは縁遠い場所で文章に接してきたのだ。が、世の中には〝縁〟というものがあるのだろう。十年程前、角川書店の堀内くんを紹介された。〝くん〟付けでは申し訳ないが。間もなく彼は「野性時代」復活時の編集長に就く。で、小説を本格的に書きませんかと誘われる。実は、作詞をしながら、ぼちぼちと小説のようなモノを書き始めていた頃だった。作家はオファーがあってナンボ。誘ってもらえるときに書いた方がいいんだろうな、と思いつつも作詞の仕事が忙しくて、なかなか本格的には小説に取りかかれなかった。それでも尻《しり》を叩《たた》かれながら「野性時代」に短編を数編書かせてもらった。三十数年の時を経て、念願がかなったということになるのだろうか。

しかし、面白いもので本の出版としては、他社が先行した。「野性時代」に掲載された作品を読んだ双葉社「小説推理」の担当が連載枠を用意したからだ。家族を題材にした短編集はまずまずの実績を上げた。

　と、現「野性時代」担当者・鈴木さんから声がかかった。当時、彼女は別の出版社にいた。が、気づくと彼女はいつの間にか「野性時代」の編集部に移っていた。なるほど。結局、因縁というものは切れないものなのだな。それから連載が始まり、本書『ほのかなひかり』が完結した。

　本書も、このところ僕が取り組んでいる家族を中心とした物語。大事件も大事故も起こりません。日々の生活の中にある些細《ささい》な出来事を切り取って作品にしています。しかし、主人公はそれなりに切実な何かを背負って生きています。リアリティーを追求しながらも、最後は小さな希望を残す。その点では、どの作品の結末もおとぎ話のようかもしれません。現実と比較すると、少々甘いオチかも。でも、それでよいと考えています。世知辛い世の中で、ちいさな温《ぬく》もりやちいさなやさしさ、そういうものに癒《いや》されるひとときが人には必要です。実際には、なかなか他人のみならず家族に対しても、思い遣《や》る言葉や態度は出しにくいもの。どんなに偉そうなことを言っても僕も同様。それでも、誰の心の中にも、やさしさはあると信じています。ふとそれを思い出すきっかけになってもらえるなら。『ほのかなひかり』は、そういう一冊であってほしいと願って書きました。

　さて、多くの方々に支えられ本書を世の中に送り出すことができました。堀内くん、前編集長・吉良さん、現編集長・三宅さん、担当の鈴木さん。鈴木さんは打ち合わせのとき「次は男同士の友情が読みたいなあ」とか、まるでおねだりするように言い残して帰って行きます。不思議な担当者です。それから、単行本担当で同郷の高橋くん、深沢さん、みんなありがとう。

また、取材に協力してくれた福島くん、白岩くん、和子ちゃん、情報をありがとう。あなたたちの本当の世界とは微妙に違うかもしれませんが、そこは物語として許してください。

雑誌連載時にイラストを描いてくれたやまぞえみよさん、僕の原稿が遅くてご迷惑をおかけしました。感謝です。

そして、装画の木内達朗さん、装幀《そうてい》の松岡史恵さん、いつもありがとうございます。おふたりには、ずっと僕の本の顔を作ってもらっています。最強の援軍です。

また「野性時代」での連載が始まります。次の作品でお会いしましょう。

二〇一〇年、秋。作者。

本書は二〇一〇年一〇月に小社より刊行された単行本を文庫化したものです。

解説

丸善お茶の水店　吉海裕一

「上を向いて読んでください。涙がこぼれ落ちてしまいます……」

森浩美さんの『家族の言い訳』を仕事帰りに電車内で読み始め、瞬く間に涙が溢《あふ》れ出てきて、上を向いていないと涙が邪魔をしてしまい読み進められなかったことをそのままキャッチコピーとしてPOPに書いたのがその言葉でした。

私は本を仕掛け販売する際には必ずPOPを作成して、その本のキャッチコピーを考えて付けるようにしています。それは以前に映画を観に行ったときに、予告編において宣伝する映画には必ず「全米が泣いた！」や「家族全員で観て下さい」等のキャッチコピーを付けているのがとても深く印象に残っていました。映画を観に来るお客様に対して、この映画を観たらこんな感情になれるのだとはっきり示すことで、観たい気持ちがどんどん膨らんでいく効果があるのだというのを肌で実感して、本を探しに来られるお客様にもそのまま応用出来るのではないかと考えついたことがきっかけでした。

そして『家族の言い訳』にも何か効果的なキャッチコピーはないかと考えた結果、自分がこの本を読んでいるときにどうなったのかを素直に表現した「上を向いて読んでください。涙がこぼれ落ちてしまいます……」とPOPに書いて販売してみました。

出版元である双葉社からそのPOPをコピーして他の書店でも使わせてほしいとの依頼を受けてから約一ヶ月、「他の書店でもすごい勢いで売れているので重版がかかりました」という嬉《うれ》しいニュースを聞くことになりました。書店員が仕掛けたいと思う本とは売り上げは勿論《もちろん》重要なのですが、そこには単なる「売りたい」という気持ちではなく、沢山の人々に「読んでもらいたい」という思いが重要なのです。そういう意味では、この本を仕掛け販売して沢山の方々に読まれたことは書店員としてとても嬉しい結果でした。


そもそも私が森浩美さんの本を手に取るきっかけとなったのは、双葉社の営業の方のお薦めでした。当時、いわゆる「泣ける本」を数多く当店で仕掛け販売して、当店から全国の書店へと広がっていくことが多かったので、営業の方から「すごく良い本なので読んでいただいて、もし心に響くものがあったら仕掛けてみませんか？」というお話をいただいたのが、森浩美さんのデビュー作である『家族の言い訳』でした。

連日のように幼児虐待やドメスティックバイオレンス等の家庭内で起こる暗いニュースが報道されており、何か「家族」をテーマにした、心が温まるような物語はないか探していたこともあり、すぐに読んでみようと思いました。そして読んでみると、どの短編も表現を誇張させて読者を感動させようとするわけでもなく、ごく当たり前な日常の中で読者に自然と感動を与えて、読んだ後には「家族」のありがたみを深く心に刻むことが出来ました。普段なにか照れてしまって感謝の気持ちが口に出せない両親や友達にも素直に言えるようになれる、まさに探し求めていた、とてもあたたかく素敵な物語でした。核家族化の進む現在の日本に必要で、こんな素敵な物語は沢山の方々に読まれなければならないと思い、すぐに双葉社へ数百冊の注文をしました。発売当初は文庫売り場で多面展開をして販売していましたが、この本の影響力を考えると教育書を買いに来られるお客様にもお薦めしなければならないと思い、教育書のフェアにも『家族の言い訳』をはじめ、『こちらの事情』『小さな理由』といういわゆる「家族シリーズ」を展開してみました。お客様の反応も非常に良く、教育書のフェアの中からもかなり好調に本が売れていきました。

そんな双葉社の「家族シリーズ」と同じく「家族」をテーマにした八つの短編集が本書『ほのかなひかり』です。

森浩美さんの世界の一番の魅力は、家族における普段のなにげない「日常」の中での小さな奇跡が、小さな変化をもたらして感動が大きく膨らんでいく所です。では何故、日常の中の小さな奇跡で読者は大きな感動を与えられてしまうのでしょうか？

『ほのかなひかり』を読んでみると、例えば冒頭の短編である「聖夜のメール」の中で、夫を自転車事故で亡くした主人公が（もし、駅近のマンションに住んでいたら……。もし、あの朝、雨が降っていたら……。あの日、夫は事故に遭うこともなかった。）という過去を後悔する思いを綴《つづ》った一文があります。もし自分に夫（妻）がいて自転車通勤中に事故に遭い亡くなってしまったら、きっとこういう思いになるに違いないと思います。

また、「トイレットペーパーの芯」でも、（仮に目の前に姿がなくても、二階の床を歩く足音が聞こえれば、その気配に家の中の空気が柔らかくなったものだ。大学生や社会人となって家を空けがちでも、必ず帰ってくるという場所がこの家だった。「小さいときは、ぎゃーぎゃー、バタバタと煩いだけだと思ってたが、こうなると寂しいもんだなあ」私は物音のしない天井に目を向けた。）という、子供が自立していき、昔は騒がしかった家も今では妻（母）と二人になってしまった夫（父）の思いを表す一文があります。

さらには「想い出バトン」の中では、結婚を間近に控えた主人公がふと小さかった頃を思い出す場面で、（この狭い浴槽に父と弟と一緒に入った。父は手のひらを合わせて水鉄砲を作り、私たち姉弟の顔目がけてお湯をぴゅっと掛けては笑った。私たちも大騒ぎして、父にお湯を掛け返したものだ。）という、誰もが幼い頃に一度は経験したことがあるような一文があります。

例に挙げた三篇以外にも、「日常」の中で同じ思いをしたことがある、同じ行動をしたことがある、もしこの状況に置かれたら、きっと登場人物と同じ気持ちになるであろうということがはっきりと描かれています。そういった文章によって読者が登場人物と同じ感情・感覚を共有することで、さらに物語の世界に入り込みやすくなり、登場人物に起こる小さな奇跡が自分のことのように思えてきて感動が大きく膨らんでいくのです。

しかし『ほのかなひかり』は八篇からなる短編集ですが、一篇だけ「非日常」的な作品が収録されています。つまり今までの森浩美作品とは少し違った物語が収録されています。

それは七番目に収められている「褒め屋」という物語です。主人公は仕事にやりがいを求めて損保会社から輸入販売の会社に転職したＯＬ。しかしやる気が空回りして会社の同僚たちとうまくいきません。ストレスのあまりお酒の量が増えてきたある夜、記事でみた「褒め屋万年堂」という会社に電話をします。「褒め屋万年堂」とは、愚痴りたいとき、悩んでいるとき、励まされたいとき、そんなときに話を聞いてくれる人を派遣するというサービス会社のことです。そして主人公は「褒め屋」と話していくうちにだんだん癒《いや》されていきます。「褒め屋」という設定がエンターテインメント性を持っており、どちらかと言えば「非日常」的であり、ラストのあたたかさは変わらないのですが、今までの森浩美作品にはない設定なのです。勿論架空の会社である「褒め屋」という設定に良い意味で今までの読者の期待を裏切り、新しい森浩美の世界の誕生を感じさせる短編です。個人的には一冊の長編で読んでみたいと思いました（森さん宜《よろ》しくお願いいたします！）。

『ほのかなひかり』は今までの「家族シリーズ」から一歩先に踏み出した物語なのだと思います。そして森浩美さんが『ほのかなひかり』で伝えたいこと、私たち読者がこの物語から感じとって気づかなければならないことは何なのか？　それは「日常」普通に暮らしている中で誰の身にも起こりうる困難なことが、よく目を凝らして見つめてみると、人生を少しだけ好転させるような小さな奇跡が眠っているかもしれないということなのです。その小さな奇跡に私たちは気づくことが出来るのか出来ないのか、その小さな奇跡を自分のものに出来るのか出来ないのか。それに気づく為には仕事や勉強、家事や育児に忙しい毎日の生活を繰り返している中で、少しだけ周りを見渡す時間を作らなければなりません。そしてその時間を作ることこそが人生で一番大切なのだと教えてくれる物語が、この『ほのかなひかり』なのです。読み終えた後にはきっと皆さんも小さな奇跡を見つけられるでしょう。

最後に、森浩美さんの世界に、もしキャッチコピーをＰＯＰにして書くとしたらこんな言葉が思い浮かびました。

「これからの寒い季節、カイロの代わりに森浩美さんの文庫本をポケットに忍ばせてみませんか？　心の底からあたたかくなります。」

ほのかなひかり

森《もり》 浩《ひろ》美《み》

角川文庫 17076

平成二十三年十月二十五日　初版発行
平成二十四年十月二十五日　再版発行

発行者―井上伸一郎
発行所―株式会社角川書店
　　東京都千代田区富士見二―十三―三
　　電話・編集（〇三）三二三八―八五五五
　　〒一〇二―八〇七八
発売元―株式会社角川グループパブリッシング
　　東京都千代田区富士見二―十三―三
　　電話・営業（〇三）三二三八―八五二一
　　〒一〇二―八一七七
　　http://www.kadokawa.co.jp
印刷所―暁印刷　製本所―BBC
装幀者―杉浦康平

も 24-1　　ISBN978-4-04-394480-4　C0193

角川文庫発刊に際して

角川源義

第二次世界大戦の敗北は、軍事力の敗北であった以上に、私たちの若い文化力の敗退であった。私たちの文化が戦争に対して如何に無力であり、単なるあだ花に過ぎなかったかを、私たちは身を以て体験し痛感した。西洋近代文化の摂取にとって、明治以後八十年の歳月は決して短かすぎたとは言えない。にもかかわらず、近代文化の伝統を確立し、自由な批判と柔軟な良識に富む文化層として自らを形成することに私たちは失敗して来た。そしてこれは、各層への文化の普及滲透を任務とする出版人の責任でもあった。

一九四五年以来、私たちは再び振出しに戻り、第一歩から踏み出すことを余儀なくされた。これは大きな不幸ではあるが、反面、これまでの混沌・未熟・歪曲の中にあった我が国の文化に秩序と確たる基礎を齎らすためには絶好の機会でもある。角川書店は、このような祖国の文化的危機にあたり、微力をも顧みず再建の礎石たるべき抱負と決意とをもって出発したが、ここに創立以来の念願を果すべく角川文庫を発刊する。これまで刊行されたあらゆる全集叢書文庫類の長所と短所とを検討し、古今東西の不朽の典籍を、良心的編集のもとに、廉価に、そして書架にふさわしい美本として、多くのひとびとに提供しようとする。しかし私たちは徒らに百科全書的な知識のジレッタントを作ることを目的とせず、あくまで祖国の文化に秩序と再建への道を示し、この文庫を角川書店の栄ある事業として、今後永久に継続発展せしめ、学芸と教養との殿堂として大成せんことを期したい。多くの読書子の愛情ある忠言と支持とによって、この希望と抱負とを完遂せしめられんことを願う。

一九四九年五月三日